KU-169-183

© Michael Dyer Associates

Dick King-Smith sagt von sich, er sei ein Naturmensch, er könne Großstädte nicht leiden und lebe deswegen auf dem Lande. 1922 wurde er in Bristol geboren. Dick King-Smith war lange Zeit Farmer, hatte aber noch andere Berufe – z. B. Feuerwehruniform-Vertreter –, bevor er an einer Pädagogischen Hochschule zu studieren begann und anschließend Lehrer an einer Dorfschule wurde. 1982 gab er auch diesen Beruf auf und ist seitdem nur noch Schriftsteller, und zwar einer der beliebtesten und erfolgreichsten Kinderbuchautoren Großbritanniens. »Die meisten meiner Geschichten handeln von Tieren, entweder von Haustieren oder den Tieren auf dem Bauernhof. Ein Leben lang hatte ich mit ihnen zu tun. Ich gehöre nicht zu den Autoren, die Tiere wie Menschen anziehen: gestreifte Anzüge für die Elefanten und Miniröcke für die Mäuse. Meine Tiere bleiben Tiere, mit einer Ausnahme: Sie können sprechen. So bleiben meine Schweine eben Schweine, aber ich genieße es, ihnen die drolligsten Redensarten ins Maul zu legen.«

In der ›Fischer Schatzinsel‹ sind bereits von ihm erschienen: ›Der Willi ist kein Mickerling‹ (Bd. 80007), ›Schwein gehabt, Knirps‹ (Bd. 80103), ›Sophies Schnecke‹ (Bd. 80245), ›Sophies Kater‹ (Bd. 80246), ›Das kleine Seeungeheuer‹ (Bd. 80299), ›Ein Schweinchen namens Kreuz-Ass‹ (Hardcover, Bd. 85022) und ›Wolfgang Amadeus Maus‹ (Hardcover, Bd. 85043).

Foto Inge Werth

Volker Kriegel wurde 1943 in Darmstadt geboren. Er studierte Soziologie. Volker Kriegel ist ein vielseitiger Künstler: Jazzgitarrist, Komponist, Dokumentarfilmer, Rundfunkautor, Cartoonist und Illustrator. Kriegel zeichnet am liebsten mit Feder und Tusche. Anfang der 80er Jahre wurden seine ersten Bücher veröffentlicht: ›Der Rock-'n'-Roll-König‹, das Bilderbuch ›Hallo‹ (beide 1982), der Cartoon-Band ›Kriegels Kleine Hundekunde‹ (1986) und das von ihm übersetzte und illustrierte Buch ›Ein Weihnachtsmärchen‹ von Charles Dickens.
In der ›Fischer Schatzinsel‹ ist bereits das Buch ›Goigoi‹ (Bd. 80044) von William Goldman mit Illustrationen von Volker Kriegel erschienen. Volker Kriegel lebt in Wiesbaden.

Die Nase der Queen. Harmony Parker ist sich mit ihren 10 Jahren schon lange darüber im Klaren, dass Tiere eigentlich viel netter sind als Menschen. Um ihre Mitmenschen besser ertragen zu können, nehmen sie in Harmonys Fantasie die Gestalt von Tieren an. So ist ihr Vater eindeutig ein Seelöwe, ihre Mutter eine Kropftaube und die zickige Schwester eine Siamkatze. Aber das sind die einzigen »Tiere«, die sie um sich hat. Dabei wünscht sich Harmony nichts sehnlicher als ein eigenes Tier! Denn die Eltern dulden keine Tiere im Haus. Da taucht Onkel Ginger (ein leicht ergrauter Grizzlybär) auf, erfährt von Harmonys Schicksal und macht ihr ein ungewöhnliches Geschenk: eine Fünfzig-Pence-Münze, die natürlich kein normales Geldstück ist, sondern eine Zaubermünze, mit der Harmony sich 7 Wünsche erfüllen kann. Dabei spielt die Nase der Queen eine wichtige Rolle. Die Ereignisse nehmen ihren Lauf.

D·G·REG·F·D ELIZABETH II

1973
50
PENCE

Dick King-Smith

Die Nase der Queen

Übersetzt und illustriert
von Volker Kriegel

Fischer Taschenbuch Verlag

Fischer Schatzinsel
Herausgegeben von Markus Niesen

Veröffentlicht im Fischer Taschenbuch Verlag GmbH,
Frankfurt am Main, März 2000

Die englische Originalausgabe erschien 1983 unter dem Titel
›The Queen's Nose‹ bei Victor Gollancz Ltd, London

Lektorat: Kristina Lemke
Druck und Bindung: Clausen & Bosse, Leck
Printed in Germany
ISBN 3-596-80137-0

Nach den Regeln der neuen Rechtschreibung

Inhalt

Onkel Ginger

Harmony und Rex Wuff saßen nebeneinander im alten Hühnerhaus am unteren Ende des Gartens. Hühner gab es hier schon seit vielen Jahren nicht mehr – Mr. und Mrs. Parker mochten keine Tiere –, aber immer noch hing ein unbestimmter säuerlicher Vogelgeruch in der Luft. Ein bisschen vermodertes Stroh lag noch in den Brutkästen, und die Sitzstangen waren mit vertrocknetem Hühnerdreck verkrustet.

Eng war es. Und es war dunkel, denn es gab nur ein kleines Fenster aus Maschendraht, das man mit einem hölzernen Laden verschließen konnte, falls es hereinregnete. Die Tür war so niedrig, dass ein Erwachsener nur mit Mühe hätte eintreten können, und es gab – abgesehen von den Hühnerstangen – keine Sitzgelegenheit außer einer umgekippten Teekiste.

All das machte Harmony nichts aus, denn das Hühnerhaus war ihr Zufluchtsort. Hierher kam sie,

wenn sie alleine sein wollte. Und das wollte sie meistens. Natürlich war sie niemals ganz allein. Rex Wuff war immer dabei.
Harmony Parker war ein zehnjähriges Mädchen. Sie hatte sehr große braune Augen. Sie sah aus, als könnte sie noch nicht einmal eine Gans erschrecken. Und so war es auch tatsächlich, denn so etwas Dummes hätte sie niemals getan. Eine Gans gehörte zu den vielen verschiedenen Tieren, die sie gerne besessen hätte. Harmony träumte davon, wenn sie auf ihrer Teekiste saß. Sie sehnte sich nach einem eigenen Tier.
»Ich *wünschte*, ich hätte eins«, sagte sie zu Rex Wuff. »Außer dir natürlich, meine ich. Noch eines dazu.«
Rex Wuff war ein Hund von neunundfünfzig Jahren. Er hatte nur ein Auge, das andere war ausgefallen. Harmonys Großmutter war seine erste Besitzerin gewesen, und ursprünglich hatte er eine kräftige schokoladenbraune Farbe gehabt und ein ziemlich dickes Fell. Nun war er grau und kahl von oben bis unten. Man sah deutlich, dass es sich um eine Art Terrier handelte. Vielleicht um einen Airdale. Drei seiner Beine waren immer noch in ihrer ursprünglichen Form. Das vierte jedoch, das rechte

Vorderbein, war schlaff und in die Länge gezogen und *noch* haarloser als der Rest. Es war das Bein, an dem Harmony ihn stets herumschleppte.

»Warum müssen sie bloß so gemein sein?«, sagte sie. Sie griff nach Rex Wuff, der mit eingeknicktem schlaffem Bein etwas verbogen an der Teekiste lehnte und ihr die blinde Seite zuwandte. Sie drehte ihn um.

»Sag du mir doch mal«, sagte sie und blickte ihm ernst in sein Auge, »warum sie sich bei dieser Sache so dumm anstellen. Es ist ja nicht so, dass ich einen Elefanten will. Oder ein halbes Dutzend Schimpansen. Oder eine Horde wilder Pferde. Ich hätte zwar nichts dagegen, aber ich wäre ja bereits mit einem Mäusepärchen zufrieden. Mit einer einzigen Rennmaus sogar. Aber sie erlauben es mir nicht, und du weißt warum, stimmt's?«

Harmony wartete ungefähr zehn Sekunden, so wie man es bei einer Unterhaltung am Telefon macht, und sprach dann weiter.

»Genau. Du hast absolut Recht, Rex Wuff. Mammi denkt, Tiere sind schmutzig und übertragen Krankheiten.«

Noch eine Pause.

»Wer? Ach so, Daddy. Ihn interessiert das einfach

nicht. Er mag keine Tiere. Ich bin noch nicht mal sicher, ob er Menschen mag.«

Pause.

»Abgesehen von ihr natürlich, da hast du Recht, ich vergaß die blöde Tussi.« Die blöde Tussi war Harmonys ältere Schwester, Melody. Sie war vierzehn und vermeintlich der Liebling ihres Vaters. Sie machte sich eine Menge Gedanken über ihre Frisur und über ihre Kleidung. Sie bezeichnete Rex Wuff als »dreckiges Biest« und nannte seine Besitzerin *Harm*.

»Was könnte ich bloß tun?« –

»Weitermachen mit dem Wünschen, sagst du? Wünschen wird's schon bringen, sagst du? Oh, Rex Wuff, ich *wünschte*, es wäre so einfach.« Harmony nahm sein schlaffes Bein und entriegelte die Tür des Hühnerhauses.

Sanft schlenkerte sie Rex Wuff hin und her, während sie langsam durch den Obstgarten zurückging. Nach einem kurzen Sommerregen war das Gras noch nass. An ihren Beinen und an den nackten Füßen fühlte es sich angenehm kühl an, wie beim Herumplantschen im Meer. Als ihre Schwester aus der Verandatür trat und nach ihr rief, tauchte sie blitzschnell weg hinter einen Apfelbaum, duckte

sich ins Gras und presste eine Hand fest über den wollenen schwarzen Mund des alten Hundes.
»Harm!«, rief Melody, herrschsüchtig wie immer. »Wo steckst du? Mammi sucht nach dir!«
Harmony duckte sich noch etwas tiefer.
»Kein Mucks, Rex Wuff«, flüsterte sie. »Warte, bis du das Weiße in ihren Augen siehst.«
Mit Vergnügen vernahm sie das wiederholte Rufen. Dann hörte sie eine andere Stimme, die ihrer Mutter.
»Lauf und hole sie, Melody-Liebling! Ich weiß, dass sie irgendwo im Garten ist.«
»O Mammi, das Gras ist klatschnass! Und ich hab meine neuen Schuhe an.«
»Beeile dich, Liebling!«
»O Mammi!«
Mit staksigen Schritten bewegte sich Melody widerwillig in den nassen Dschungel des Obstgartens. In der Tiefe des Dschungels kauerte die Tigerin, erwartungsvoll grinsend.
»Harm!«, rief Melody noch einmal. »Wo bist du? Jetzt komm schon, du kleines Biest!«
Nach dieser Aufforderung griff die Tigerin an.
Zwei völlig verschiedene Laute drangen an die Ohren der drei Leute, die in dem Raum hinter der

Verandatür saßen. Zuerst eine Art von grässlichem Gebrüll, rauh, knurrig, gurgelnd und keuchend. Zwar klang es nicht besonders tief, was die Tonlage angeht, dafür aber so wild, dass einem das Herz stehen bleiben wollte. Was man noch hörte, war ein sehr lauter Schrei.

»Oh, meine Nerven!«, rief Mrs. Parker und hievte ihre plumpe Gestalt aus dem Sessel. »Was war das, um Himmels willen?«

Ihr Ehemann legte die Fingerspitzen aneinander und betrachtete sie aufmerksam über seine Lesebrille hinweg.

»Ich fürchte«, sagte er säuerlich, »du hast die arme Melody in einen Hinterhalt geschickt. Eine so treffende Nachahmung des Geräusches eines wilden Tieres kann nur das Werk deiner jüngeren Tochter sein.« (Mr. Parker pflegte Harmony stets so zu bezeichnen.) Über seine Fingerspitzen hinweg blickte er zu dem Mann, der ihm gegenüber saß.

»Ich kann mir vorstellen«, sagte er, »dass du, Ginger, mit deinen umfassenden Kenntnissen über wilde Tiere, bereits erkannt hast, was das für ein Geräusch ist.«

»Bengalischer Tiger«, sagte der andere ohne zu zögern. »Hab letzen Monat erst einen gehört, oben bei Bud-Bud, kurz bevor ich abreiste. Ich hab gar nicht gewusst, dass es in Wimbledon welche gibt.«

In diesem Moment stürmten zwei Gestalten herein. Eine der Gestalten – so viel sah der Mann, der Ginger hieß – hatte blonde Haare, sehr große braune Augen und einen engelsgleichen Unschuldsblick. Die andere Gestalt war größer und dunkler und hatte offensichtlich einen üblen Sturz hinter sich. Ihr mit Rüschen besetztes Sommerkleid war feucht und zerknittert und es war mit Grasflecken übersät.

»Melody – Liebling!«, rief Frau Parker, »was um Himmels willen …?«

Das Opfer des Hinterhalts war hin- und hergerissen zwischen dem Bedürfnis, in Zornestränen auszubrechen, und dem Wunsch, ihre kleine Schwester zu attackieren. Die erste Möglichkeit kam ihr zu babyhaft vor, die zweite schied als zu gefährlich aus. (Harmony war ein Straßenkämpfer und kannte keine Hemmungen). Also floh sie aus dem Zimmer, verfolgt von den besorgten Blicken ihrer Mutter.

»Harmony«, sagte Mr. Parker mit ermatteter Stimme, »das ist mein Bruder, also dein Onkel. Er ist aus

Indien zurückgekehrt. Ich glaube, er hat dich noch nicht kennen gelernt. Zu seinem Glück, kann ich im Moment nur sagen. Und jetzt entschuldigt mich...« Er erhob sich und verließ mit schwerfälligen Bewegungen den Raum.

»Ich bin die Harmony«, sagte Harmony. Sie streckte eine ziemlich schmutzige Hand aus. Der Mann stand auf und reichte ihr eine sehr große Hand.

»Mein Name ist Henry«, sagte er, »aber jeder nennt mich Ginger.« Sie betrachteten sich mit Interesse.

Der eine sah ein kleines barfüßiges Mädchen, bekleidet mit alten Jeans, die an den Knien abgeschnitten waren, sowie einem ausgewaschenen T-Shirt mit der Aufforderung »Rettet die Wale«.

Die andere sah ein Tier. Kein Zweifel.

Vor langer Zeit hatte Harmony unabänderlich entschieden, dass Tiere netter als Menschen sind. Von ein paar Ausnahmen abgesehen. Aufgrund langjähriger Übung fiel es ihr leicht, sich die Leute, die sie kannte oder kennen lernte, als dieses oder jenes Säugetier, als Vogel oder als Fisch vorzustellen. Sogar als Insekt. (Ihre Lehrerin war eine Gottesanbeterin.)

Sie konnte gut zeichnen und brachte ihre Fantasien

mit Porträts zum Ausdruck, bei denen der Kopf der jeweiligen Person den Körper des entsprechenden Tieres krönte. In ihrem Schlafzimmer hielt sie ein großes Malbuch unter Verschluss. Auf der ersten Seite spreizte sich eine mollige, aufgeregte Kropftaube. Über dem stolz geschwellten Kropf trug sie das hübsche und ziemlich nichtssagende Gesicht ihrer Mutter. Auf der nächsten Seite saß ihr Vater, der Seelöwe, groß und glatt, mit seinem Schnurrbart und den hervorstehenden Augen unterhalb der Glatze. Ihm gegenüber war Melody zu sehen. Ihre blauen Augen schielten nur ein ganz klein wenig, als sie ihr siamesisches Gegenüber in einem schmalen Spiegel betrachtete; in ihrem glänzenden Fell sträubte sich nicht ein einziges Haar, und ihr langer Schwanz wand sich elegant um ihre zierlichen Füße.

Als Harmony nun Onkel Ginger betrachtete, wie er da stand mit seiner massigen Gestalt und in seinem Tweedanzug, mit den großen Händen, die locker an den langen Armen baumelten, da erkannte sie auf der Stelle einen Bär. Und zwar nicht irgendeinen beliebigen Bär. Die rötliche Farbe, der Onkel Ginger seinen Spitznamen verdankte, hatte sich in seinen Barthaaren gut gehalten, aber sein

Kropftaube

Seelöwe

Siam=
katze

volles Haupthaar war bereits mit grauen Strähnen durchsetzt. Ein Silber-Grizzly!
Sie sprachen beide gleichzeitig.
»Du hast nicht viel Ähnlichkeit mit Daddy«, sagte Harmony, und der Silberne sagte: »Du hast nicht viel Ähnlichkeit mit deiner Schwester.«
Beide lachten.

»Möchtest du den Garten sehen?«, fragte Harmony. »Ich zeig dir meine Höhle.«
»Die Tigerhöhle?«
»Oh, du hast erkannt, was ich sein wollte? Klar hast du es erkannt, du warst ja lange in Indien. Obwohl – es gibt ja nicht mehr viele, glaube ich.«
»Nein, viele sind es nicht mehr.«
»Hast du jemals einen gesehen? Im Dschungel, meine ich?«
»Ja, einige. Es war übrigens eine gute Imitation. Woher kennst du das Geräusch, das ein wütender Tiger macht?«
»Oh, Filme in der Glotze. Und ich hab sie im Zoo gehört. Sie waren nicht wütend, sondern hungrig. Und sie hatten Heimweh, glaub ich.«
»Du magst wohl keine Zoos?«
»Kann ich so nicht sagen. Ich weiß, was gut dran ist. Ich finde aber, alle Tiere sollten glücklich sein, und du kannst nicht glücklich sein, wenn du nicht frei bist.«
Sie erreichten das Hühnerhaus. Der Silber-Grizzly musste sich zweimal zusammenfalten um durch die Tür zu kommen. Er nahm auf der Teekiste Platz, die ihm höflich angeboten worden war. Seinen Kopf hielt er gebeugt wegen des niedrigen Daches

und seine langen Arme hingen herunter. Er blickte auf Harmony, die auf einer Hühnerstange balancierte.
»Du magst Tiere, stimmt's?«, sagte er.
»Ja. Ich mag sie lieber als...«
»Lieber als was?«
»Lieber als die meisten Sachen.«
»Welche hast du?«
»Meinst du welche Tiere?«
»Ja.«
Pause.
»Keine«, sagte Harmony.
Onkel Ginger richtete sich jäh auf und stieß mit dem Kopf an das Dach des Hühnerhauses.
»Keinen Hund?«, fragte er, »keine Katze? Keine Karnickel, Meerschweinchen, Mäuse, Wellensittiche, nichts?«
Harmony schüttelte den Kopf. Sie scharrte mit ihrem nackten Zeh auf dem Boden herum und zeichnete große Buchstaben in den staubigen Belag aus altem Sägemehl. Onkel Ginger, der ihr gegenüber saß, las das Wort umgekehrt. Es lautete:

»So ist es. Mammi und Daddy halten alle Tiere für schmutzig«, sagte Harmony mit matter Stimme. »Falls ich irgendwann mal ein Tier haben sollte, egal was für eins, dann nur durch ein Wunder. Glaubst du an Zauberei, Onkel Ginger?«

»Ja. Tu ich.«

»In Indien gibt's viel Zauberei, oder? Seiltricks und Schlangenbeschwörer und Leute, die auf Nagelbetten liegen, und lauter so Sachen, stimmt's?«

»Stimmt.«

»Kennst du dich mit Zauberei aus? Du selber?«

»Bisschen.«

»O Mann! Ich *wünschte*, du könntest mal ein bisschen was zaubern, solange du hier bist. Übrigens, wie lange bleibst du denn?«

»Paar Wochen.«
Sie blickten sich an.
»Nein«, sagte Onkel Ginger und lächelte in seinen Bart, »ich werde nicht einfach zu deinen Eltern gehen und sagen: ›Harmony sollte einen kleinen Hund haben oder ein Kaninchen oder sonstwas.‹ Das müsst ihr untereinander ausmachen. Aber vielleicht kann ich ein bisschen helfen.«
»Ach, ich *wünschte*, du könntest es!«
Sie bahnten sich ihren Weg aus dem Hühnerhaus und Onkel Ginger streckte sich. Er blickte hoch zum blauen Himmel und dann hinunter zu den großen braunen Augen, die auf ihn gerichtet waren. »Kommt es oft vor, dass du dir etwas wünschst, Harmony?«, fragte er.
»Ja«, sagte Harmony. Sie zog an den labbrigen Ohren von Rex Wuff.
Vom oberen Ende des Gartens hörten sie Stimmen.
»Ginger«, bellte der Seelöwe, »der Tee ist fertig.«
»Harmony«, gurrte die Kropftaube. »Komm und setz dich zu uns.«
Die Siamkatze war eingeschnappt und gab keinen Laut von sich.
»Wünsche werden doch wahr, manchmal, oder?«, fragte Harmony mit kleinlauter Stimme.

Der Silber-Grizzly legte seine große Tatze auf ihre Schulter und nickte.
»Manchmal schon«, sagte er.

Die Schatzsuche

Die beiden ersten Wochen der Sommerferien schienen für Harmony blitzschnell vorüberzugehen. Eines Morgens wachte sie auf mit dem sicheren Gefühl, dass irgendetwas an diesem Tag faul war. Aber natürlich! Onkel Ginger reiste ab, zunächst nach Devonshire zu Freunden, und dann zurück nach Indien.

Es war ein wunderschöner sonniger Morgen. Normalerweise wäre Harmony an einem solchen Morgen im Nu aufgestanden und nach draußen gegangen, während der Seelöwe und die Kropftaube weiterschnarchten und die Siamkatze sich genüsslich in ihrem reinlichen Bettchen zusammenrollte. Aber an diesem Morgen blieb Harmony liegen. Rex Wuff lag neben ihr. Harmony dachte über alles nach, was geschehen war. Was für tolle Sachen sie erlebt hatten. Onkel Ginger hatte alles mögliche mit ihnen unternommen, manchmal mit der ganzen Familie, meistens aber nur mit den beiden

Mädchen. Einmal war er mit ihr allein losgezogen, ins Naturhistorische Museum, weil die blöde Tussi angeblich Kopfweh hatte. Harmony war gespannt, ob es noch einmal eine Unterhaltung über Zauberei geben würde. »Vielleicht kann ich ein bisschen helfen« – so hatte der Silberne gesagt. Aber es gab keine Unterhaltung mehr über Zauberei. Und nun reiste er ab.

»Und noch etwas«, sagte sie zu Rex Wuff. »Er hat jedem Geschenke gekauft, nur mir nicht. Blumen und Schokolade für Mammi, Zigarren für Daddy, ein Kleid für die blöde Tussi. Was hält man denn davon?« – »Eifersüchtig, sagst du, ich bin eifersüchtig? Na komm, Rex Wuff, selbstverständlich *nicht.*«

Aber sie war eben doch eifersüchtig.

Dann kam ihr ein Gedanke. Es war nicht so, dass sie kein Geschenk bekommen hatte. Sie hatte *noch* kein Geschenk bekommen!

Sie beschloss Rex Wuff Recht zu geben.

»Natürlich, natürlich, du hast ja absolut Recht. Wie immer. Er behält mein Geschenk bis ganz zum Schluss. Bis zum letzten Moment, bevor er geht. Es ist nämlich etwas ganz Besonderes! Aber klar!«

Harmony verspürte plötzlich ein absurdes Glücksgefühl. Sie blieb noch ein bisschen im Bett und zog

Gesichter für ihr einäugiges Publikum. Zuerst machte sie das *Eifersucht*-Gesicht mit heruntergezogenen Mundwinkeln, knirschenden Zähnen, aufgeblähten Nasenlöchern und gefurchten Augenbrauen. Dann veränderte sie dieses Gesicht allmählich, zunächst zum *Eben-wird-mir-alles-klar*-Gesicht (hochgezogene Augenbrauen, Augen und Mund öffnen sich immer weiter) und schließlich zum *Ich-bin-sowas-von-glücklich*-Gesicht (breites Grinsen).

Aber klar! Es war etwas ganz Besonderes! Aber was? Irgendein Tier konnte es nicht sein – Onkel Ginger hatte ja gesagt, da wolle er sich nicht einmischen –, aber vielleicht war es ein Buch über Tiere. Oder vielleicht Tierfiguren für ihre Farm, die den ganzen Fußboden ihres Schlafzimmers einnahm. Eine bunt zusammengewürfelte Farm war das. Zebras und Rehe standen zwischen den Kühen, bei den Schweinen gab es Nilpferde, mitten unter den Hühnern sah man Straußenvögel, und auf der spiegelnden Oberfläche des gläsernen Ententeichs zeigte ein Krokodil seinen weitaufgerissenen Rachen.

Oder vielleicht – überraschenderweise entfernten sich ihre Gedanken einen Moment lang von Vögeln und Tieren – war es ein Fußball. Er wusste, dass sie darauf scharf war. Die prächtigen rot-gold gestreiften Fußballstrümpfe, nach denen sie schon immer verrückt war, konnten es nicht sein, denn davon hatte sie ihm nichts erzählt.

Oder vielleicht – vielleichtvielleicht – war es ein Fahrrad, ein neues Fahrrad!

Sei nicht so dumm, Harmony, sagte sie zu sich selbst und setzte ihr *Sei-nicht-so-dumm-Harmony*-Gesicht auf (sieht dem Gesicht ähnlich, das man zieht, wenn man etwas sehr Unangenehmes riecht). Dann sprang sie aus dem Bett. Rex Wuffs Gesicht war ausdruckslos, wie immer.

Wie gewöhnlich machte sich Mr. Parker nach dem Frühstück auf den Weg ins Büro. Als Harmony die beiden Brüder beim Verabschieden beobachtete, fiel ihr auf, wie unterschiedlich sie waren. Sie waren tatsächlich so verschieden, wie man es von einem Seelöwen und einem Silber-Grizzly erwartet hätte. Einen von beiden würde sie heute Abend wiedersehen, den anderen... wer weiß wann. Vielleicht nie. Ihr Herz fühlte sich plötzlich an, als hätte es jemand gequetscht.

Ich *wünsche*, dass Onkel Ginger nicht weggeht, sagte sie zu Rex Wuff, der kopfüber in ihrem

Schoß saß. Ich *wünsche*, ich *wünsche*, ich *wünsche*. Ihr Lippen mussten sich bewegt haben, denn der Silberne lächelte und sagte: »Schon wieder am Wünschen, Harmony?«

Harmony spürte, wie sie knallrot wurde. Sie war froh, dass die Kropftaube weggeflattert war um sich zu putzen, und dass die Siamkatze fortgeschlichen war um in den nächsten Spiegel zu starren.

Ginger bemerkte ihr Erröten und wechselte das Thema.

»Ach übrigens«, sagte er, »ich habe ein Geschenk für dich. Viel ist es nicht, aber vielleicht hilft es. Ich gehe mal hoch und hole es. Ich muss sowieso meine Sachen zusammensuchen und in die Gänge kommen, es ist eine ziemlich lange Fahrt.« Und schon verließ er den Raum in seinem wiegenden Grizzly-Gang.

Harmony saß ganz still. An beiden Händen hielt sie ihre Finger gekreuzt. Jeder kriegt gern Geschenke, aber sie hatte immer deutlicher das Gefühl, dass es dieses Mal etwas ganz Besonderes war.

»Viel ist es nicht«, hatte er gesagt, also konnte es kein Fahrrad sein. Vielleicht eine Uhr, eine Digitaluhr mit dickem Lederarmband, nicht so eine doofe kleine Schmuckuhr wie die von der blöden

Tussi. Oder es war einer von diesen Stiften, die in sechs verschiedenen Farben schreiben können.
Onkel Ginger kam wieder die Treppe herunter, in jeder Hand einen Koffer. Er lud das Gepäck in das Auto, das er für seine Reise gemietet hatte.
»Harmony«, rief er.
Harmony entknotete ihre Finger und rannte raus. Rex Wuff baumelte an seinem schlaffen Bein.
»Ja, Onkel Ginger?«
»Das ist für dich. So, jetzt werde ich mal schauen, dass ich deine Mutter und Melody finde um mich zu verabschieden, und dann muss ich los.«
Harmony schaute auf den kleinen, unscheinbaren braunen Umschlag in ihrer Hand. Geld, dachte sie, und eine kleine Welle der Enttäuschung ging über sie hinweg. Sie war kein habgieriges Kind, und es wäre ihr nicht in den Sinn gekommen, dass ein kleiner Umschlag eine wertvolle Banknote enthalten kann. Sie meinte ganz einfach, dass Geld ein unpersönliches Geschenk war, und dass sie gerne irgend ***Etwas*** bekommen hätte. Egal wie bescheiden dieses Etwas auch gewesen wäre – vergiss Uhren oder Fahrräder –, es hätte sie an den großen Mann erinnert, der gerade mit ihrer Mutter und ihrer Schwester aus dem Haus kam.

»Vielen Dank«, sagte sie.
»Was hast du bekommen, Harm?«, rief Melody und drehte sich wie eine Katze, um ihr neues Kleid vorzuführen.
»Mach es auf, Harmony, mein Schatz«, gurrte ihre Mutter. »Du kannst dich ja nicht richtig bedanken bei Onkel Ginger, wenn du nicht weißt, wofür.«
»O doch, das kann sie«, sagte Onkel Ginger rasch und er blinzelte Harmony zu. Es war ein ganz kleines geheimes Blinzeln, das die andern nicht mitbekamen.
»Im übrigen bin ich es, der sich zu bedanken hat; dafür, dass ihr mich aufgenommen habt und dass ihr es mit mir ausgehalten habt. Ihr wart wirklich nett und ich habe meinen Aufenthalt rundum genossen.« Er umschlang die Kropftaube und die Siamkatze mit einer Bärenumarmung.
Dann wendete er sich um zu Harmony, aber die streckte ihm nur die Hand hin. Der Silber-Grizzly nahm die Hand vorsichtig in seine Pranke. Er blickte von seiner Höhe herab in die braunen Augen, die größer aussahen als jemals zuvor, und in das blasse Gesicht mit dem gefrorenen Lächeln.
»Auf Wiedersehen, Harmony«, sagte er. »Vergiss nicht – es gibt viele gute Dinge in kleinen Päck-

chen.« Und damit stieg er ins Auto und fuhr davon. Er winkte, bis man ihn hinter der Biegung der Auffahrt nicht mehr sehen konnte.
»Was hat er damit gemeint?«, fragte Mrs. Parker.
»Ich vermute«, schnurrte Melody, »er spielte darauf an, dass deine jüngere Tochter eine so extrem kleine Person ist, um nicht zu sagen ein Zwerg.«
Normalerweise hätte eine solche Bemerkung die sofortige Attacke zur Folge gehabt, oder zumindest Harmonys *Ich-hasse-meine-Schwester*-Gesicht mit den fürchterlich schielenden Augen und der bis zum Kinn heraushängenden Zunge. Aber zu Melodys Überraschung schien Harmony nichts gehört zu haben. Sie lief ins Haus und schloss sich in der unteren Toilette ein.
»Es ist eingeschnappt, das dumme Kind«, miaute Melody.
Mrs. Parker schmollte.
»Ich verstehe sie einfach nicht«, sagte sie. »Hast du es bemerkt? Sie wollte eurem Onkel keinen Kuss geben. Sie scheint keine Gefühle für irgendjemanden zu haben.«
Harmony saß auf dem Toilettendeckel und öffnete den braunen Umschlag. Innen war nur ein Stück Papier. Darauf stand in großen Buchstaben:

ES WIRD IN INDIEN ANGEBAUT

Harmony sprang vom Deckel.

»Ich hätte es wissen müssen, Rex Wuff!«, flüsterte sie grimmig. »Natürlich hätte er mir niemals nur langweiliges blödes Geld gegeben! Es ist der erste Hinweis bei einer Schatzsuche!« – »Was sagst du? Abwarten, bis wir allein sind? Du hast absolut Recht. Wie immer.«

Sie schloss die Tür auf und ging ihre Mutter suchen.

»Gehst du heute Vormittag aus, Mammi?«

»Ja, mein Schatz. Melody und ich gehen einkaufen, ungefähr in einer halben Stunde. Willst du mitkommen?«

»Nein danke. Ich hab kein Geld.«

»Oh, dann war ja noch nicht einmal Geld in dem Umschlag«, sagte Melody gehässig. »Was war denn drin?«

»Kümmere dich um deinen eigenen Scheiß.«

»Harmony! Aber wirklich! Du sollst nicht so mit deiner Schwester reden!«

Harmony rannte die Treppe hoch. Sobald sie außer Sicht war, zog sie ihr *Meine-Mutter-macht-mich-wahnsinnig*-Gesicht (Daumen in die Ohren stecken und mit den Fingern wackeln, gleichzeitig den Mund schräg verziehen und die Zunge wie ein Idiot über die Unterlippe hängen lassen).

Sie wartete voller Ungeduld, bis sie das Auto wegfahren hörte. Dann griff sie nach dem Lexikon im Bücherschrank des Wohnzimmers.

»So, Rex Wuff. Also, I bis M, wo ist Indien? Ah, hier ist es... ›Klima vorwiegend vom tropischen Monsun bestimmt; Landwirtschaft (Reis, Baumwolle, Nutzholz, Tee).‹ Jetzt heißt es methodisch vorgehen. Erinnerst du dich, was die Gottesanbeterin immer sagt? ›Harmony Parker, sei nicht immer so ungestüm. Du musst lernen methodisch vorzugehen.‹ – Also, erst mal Reis.«

Reis gab es in der Küche, in einem großen Glasbehälter mit Schraubdeckel. Sie öffnete ihn. Es sah so aus, als sei nichts in dem Gefäß außer Reis. Sie schüttete den Inhalt auf ein Zeitungspapier, aber nichts war zwischen den Körnern versteckt. In der Speisekammer gab es noch ein unangebrochenes Paket Reis. Sie schaute, ob etwas darauf geschrieben stand. Ohne Erfolg.

»Also Baumwolle.«
Sorgfältig durchsuchte sie die Schubladen vom Nähtisch ihrer Mutter. Garnspulen gab es jede Menge, aber keinen Hinweis. Was war noch aus Baumwolle? Bettlaken vielleicht. Sie durchsuchte alle Schlafzimmer. Nichts.
»Okay. Dann also Nutzholz.«
Nun gut, im Haus gab es allerhand Dinge, die aus Holz bestanden. Aber Nutzholz, das bedeutet Wald, das bedeutet Bäume, oder? Hartnäckig bestieg sie nacheinander die drei knorrigen alten Apfelbäume im Obstgarten. Rex Wuff lag geduldig im Gras, damit sie die Hände frei hatte. Vergeblich.
»Dann muss es Tee sein.«
Es gab mehrere Teebehälter im Haus. Zwei Büchsen befanden sich in der Küche, eine mit indischem Tee, eine mit chinesischem (»das wäre allerdings gemogelt, wenn er dort einen Hinweis hinterlassen hätte«). Es gab eine hübsche geriffelte Teedose, die zu dem silbernen Teeservice gehörte, das ihre Mutter bei besonderen Anlässen benutzte. Es gab eine mit Zink ausgekleidete Dose in der Form einer winzigen Seemannskiste, gefertigt aus hellem poliertem Holz und mit Messingbeschlägen eingefasst. Überall war Tee zu finden, aber keine Information.

Automatisch fand Harmony den Weg zu jenem Ort, wo sie am besten denken konnte, dem Hühnerhaus. Sie nahm Platz und machte ihr *konzentriertes-Nachdenk*-Gesicht, das sie immer in der Schule aufsetzte, wenn sie etwas gefragt wurde, was sie nicht wusste (Augen fest geschlossen, Kinn aufgestützt, gequälte Miene). Rex Wuff hing kopfüber an ihrer anderen Hand. Geistesabwesend schlenkerte sie ihn hin und her, immer gegen die Teekiste, tong, täng, tong, täng. Immer gegen die Teekiste. Ting, tong, Tee, ting, tong, Tee – ***Teekiste!***
Aber natürlich! Schnell sprang sie von der Teekiste und stülpte sie um.
Auf dem Boden sah sie wieder ein Stück Papier. Darauf stand geschrieben:

FALSCHE FÄHRTEN …
EINEN GRUNDSTEIN …
KARTEN …
WAS NOCH ?

Mit Karten konnte Harmony nicht viel anfangen. Mit Grundsteinen auch nicht. Aber mit falschen Fährten kannte sie sich aus! »Klar«, rief sie, »das ist es: falsche Fährten *legen*! Grundsteine *legen*. Und bei Karten ist es dasselbe. Karten *legen*. Aber was noch?« –

»Ja, genau – Eier *legen*!«

Sie fiel auf die Knie und durchsuchte fieberhaft das vertrocknete alte Stroh der Legeboxen. In den ersten drei fand sie nichts. In der vierten berührte sie etwas mit den Fingern. Noch ein Umschlag. Darauf stand:

HARMONY PARKER.
ACHTUNG!

Diesmal befand sich etwas in dem Umschlag, etwas hartes und kleines. Sie riss den Umschlag auf. Drinnen war ein zusammengeknülltes Stück Papier. Sie entfaltete es hastig, und auf den staubigen Boden des Hühnerhauses fiel eine einsame Fünfzig-Pence-Münze.

Das Rätsel

»Es gibt viele gute Dinge in kleinen Päckchen.« War das alles, was er damit gemeint hatte? Eine Fünfzig-Pence-Münze? Nichts als Geld, nichts Besonderes. Harmony nahm die Münze und steckte sie in ihre Hosentasche. Sie schaute noch einmal auf den Umschlag. *Vorsicht!*

Warum? Was konnte das bedeuten? Da bemerkte sie, dass auf dem Einwickelpapier der Münze etwas geschrieben stand, und fühlte vor lauter Spannung ein plötzliches Kribbeln. Die Suche war noch nicht zu Ende! Es gab weitere Hinweise!

Sorgfältig strich sie das Papier glatt und las. Zunächst einmal schnell für sich selbst, und danach laut und deutlich für Rex Wuff.

DU UND ICH, WIR SIND EIN PAAR
WIR STAMMEN AUS DEMSELBEN JAHR

BIS SIEBEN ZÄHLEN IST NICHT SCHWER
UND TRENNEN SOLL UNS NIEMAND MEHR

GIB MICH NICHT AUS, GIB MICH NICHT WEG
UND LASS DAS WECHSELN (HAT KEIN ZWECK)

NEUN HÄNDE, DAS SIND ZWEI ZU VIEL
MIT SECHS BIST DU NOCH NICHT AM ZIEL

EINE STELLE VON DEN SIEBEN
WIRD ZUM ZAUBERN KURZ GERIEBEN

GERADEAUS UND KÖNIGLICH
NICHT RÖMISCH UND NICHT SCHNÖSELIG

SO WEIST SIE AUF DIE STELLE HIN
DIE.... VON DER.......

Harmony stellte die Teekiste wieder aufrecht und setzte sich drauf. In der einen Hand hielt sie das Stück Papier, an der andern baumelte der alte Hund. »Methodisch vorgehen«, murmelte sie, »methodisch«, und konzentrierte sich auf die beiden ersten Zeilen.

Das Rätsel stammte von Onkel Ginger. Also bezog Harmony die Sätze zunächst einmal auf ihn.
»Natürlich sind wir so etwas Ähnliches wie *ein Paar*«, sagte sie, »oder wir waren es jedenfalls. Aber ich verstehe nicht, wieso wir aus demselben Jahr stammen. Ich bin zehn und er muss um die vierzig sein, denk ich. Vielleicht ist aber nur die letzte Zahl gemeint – ich bin 73 geboren und er 43.«
Sie kratzte sich am Kopf und las weiter.
»Hat auch keiner behauptet, dass bis sieben zählen schwer ist. Aber was soll das nun wieder: *trennen soll uns niemand mehr.* Wir sind schließlich getrennt.«
Erst als sie alles noch einmal durchgelesen hatte und bei dem dritten Reim angekommen war, begriff sie plötzlich, dass mit dem Wort *ich* in der allerersten Zeile nicht Onkel Ginger, sondern die Münze gemeint war. Aus irgendeinem Grund durfte sie nicht ausgegeben oder weggegeben werden, und vom Wechseln wurde ausdrücklich abgeraten.
»Ah! Jetzt ist es einfach. *Wir stammen aus demselben Jahr* heißt, es ist ein Fünfzig-Pence-Stück von 1973.« Sie kramte es heraus. Es stimmte.
»Also gut«, sagte sie, »du und ich, wir wurden im

selben Jahr angefertigt. Und ich darf dich nicht verlieren. Jetzt weiter. Was ich nicht kapiere, ist die Sache mit den Zahlen. *Bis sieben zählen ist nicht schwer.* Hm. – Und was soll das mit den Händen? Warum sind *neun* zu viel? – Moment mal… da sind doch Hände auf der Münze abgebildet!«
Sie betrachtete die Münze ganz genau. Auf der einen Seite sah man den Kopf der Königin. **ELISABETH II** war dort zu lesen, wo die Königin hinblickte. Hinter ihrem Kopf stand **D.G.REG.F.D.** Auf der Rückseite der Münze war ein Kreis von ineinander verschränkten Händen zu sehen und in der Mitte des Kreises stand **1973 50 Pence**.

Rasch zählte sie die Hände. »Neun! Aber zwei davon sollen zu viel sein. Also sieben. Und mit sechsen bin ich noch nicht am Ziel. Welches Ziel?«

Sie betrachtete die neun Hände sehr aufmerksam. Sie sahen eher wie Männerhände aus, bis auf die eine, gleich neben der Zahl 50. Das war zweifellos eine Frauenhand. »Es muss irgendwas mit dieser Hand zu tun haben. Das ist die Hand, die mich ans Ziel bringt. Welches Ziel? An welches Ziel würdest du mich bringen, Rex Wuff?«

Harmony stand auf und bückte sich beim Hinausgehen unter der niedrigen Tür des Hühnerstalls. Plötzlich stand ihr deutlich vor Augen, wie sie vor zwei Wochen genau dasselbe getan hatte und wie der Silbergraue hinter ihr herausgekommen war. Er hatte sich gestreckt und gesagt: »Kommt es oft vor, dass du dir etwas wünschst, Harmony?«

Wünsche. Man kommt ans Ziel der Wünsche! In Zaubergeschichten und im Märchen! Und sie hörte sich selber sagen: »Kennst du dich aus mit Zauberei?« »Ein bisschen«, hatte er geantwortet.

Es war ein Fünfzig-Pence-Stück mit magischen Kräften und die würde sie ans Ziel ihrer Wünsche bringen! Diese weibliche Hand war der Schlüssel. Das musste die Antwort sein!

Hastig las sie noch einmal die letzten Verse des Rätsels. Wo musste man reiben? Was war mit *Stelle* gemeint? Eine der Hände? Eine Kante? Eine Ecke?

– Harmony seufzte. Mit den beiden letzten Versen konnte sie leider überhaupt nichts anfangen.
Harmony legte Rex Wuff vorsichtig ins Gras und steckte den Zettel in ihre Hosentasche. Sie nahm die Münze in die linke Hand, sodass der Kopf der Königin nach unten zeigte, und berührte mit der Spitze ihres rechten Zeigefingers die Frauenhand. Sie machte die Augen fest zu. Eine Unzahl von Wünschen gingen ihr durch den Kopf und sie beschloss mit etwas Einfachem zu beginnen. In diesem Moment hörte sie das Auto die Auffahrt herauffahren. Die andern kamen vom Einkaufen zurück, und das bedeutete, dass es nicht mehr lange dauern konnte bis zum Abendessen. Sie würde ihr Lieblingsabendessen bekommen!
»Ich wünsche mir«, sagte Harmony, »zum Abendessen Fischstäbchen und gebackene Bohnen und Tomatensoße.« Sie rieb heftig.
Zwanzig Minuten lag sie im Obstgarten und wartete. Vor Aufregung schwirrte ihr der Kopf und die 50-Pence-Münze schien mit ihrer Zauberkraft beinahe ihre Hand zu verbrennen. Dann hörte sie die Kropftaube rufen: »Harmony! Abendessen!«
Langsam ging Harmony durch den Obstgarten, trat durch die Verandatür ein, durchquerte das

Wohnzimmer und stand vor der Esszimmertür. Die Münze hielt sie fest in der Hand. Sie drückte die Klinke nieder und ging hinein.
Es gab Wurst und Salat.
»Haben wir heute keine Fischstäbchen?«, fragte sie.
»Harmony, wie kommst du denn darauf?«
»Du bist wirklich schrecklich, Harm. Ich vermute, du hast gebackene Bohnen, Pommes und Tomatensoße erwartet. An so einem heißen Tag wie heute.«
»Ja.«
»Harmony, mein Schatz, sei nicht so dumm. Geh jetzt und wasch dir deine dreckigen Hände.«
»Sie hat irgendwas in einer ihrer schmutzigen Pfoten, Mammi. Was ist das, Harm?«
»Kümmere du dich um deinen eigenen Scheiß!«
»Harmony! Du sollst nicht so mit deiner Schwester reden! Was hast du da?«
Harmony öffnete ihre Hand.
»Du kleine Lügnerin«, sagte Melody, »du hast behauptet, du hättest kein Geld bekommen. Du hast gesagt, in dem Umschlag sei keins gewesen. Der supertolle Onkel Ginger hat ihr nur fünfzig Pence gegeben, Mammi. Mein Kleid muss ein Vermögen gekostet haben.« Sie fuhr ihre Krallen aus zum letzten Hieb. »Na ja, fünfzig Pence sind natürlich ziemlich viel für ein Kind wie dich.«

Automatisch zog Harmony beim Händewaschen die beiden passenden Gesichter, das *Meine-Mutter-macht-mich-wahnsinnig*-Gesicht und das *Ich-hasse-meine-Schwester*-Gesicht. Mit den Gedanken war sie aber eigentlich ganz woanders.

Sie verschlang ihr Abendessen in Höchstgeschwindigkeit ohne irgendetwas zu schmecken und konzentrierte sich auf das Rätsel. Also gut, sie hatte die Lösung nicht gefunden. Keine Sekunde jedoch zweifelte sie an der Zauberkraft der Münze.

Sie griff in die Tasche und befingerte die geraden Kanten. Wie viele gab es bei einem Fünfzig-Pence-Stück? Oh! Hatte die Lösung damit etwas zu tun?

»Du bist dran mit Abwaschen«, sagte die Siamkatze und betupfte sich ihre Lippen auf geradezu aufreizende Weise.

Harmony wischte sich mit dem Handrücken über den Mund und setzte ihr *Bitte-bitte*-Gesicht auf, mit weit aufgerissenen Augen, leicht schräg geneigtem Kopf und flehentlich hochgezogenen Augenbrauen.

»Oh, Melody. Können wir nicht tauschen? Bitte? Ich hab etwas furchtbar Wichtiges zu tun.«

»Wichtig? Du? Gut, wir tauschen.«

»Du bist einverstanden?«
»Es kostet etwas.«
»Wie viel?«
»Fünfzig Pence.«
»Du stinkige verlauste Katze!«
»Harmony! Du sollst nicht so mit deiner Schwester reden! Und sei etwas vorsichtiger mit den Tellern, sonst geht noch etwas kaputt.«
Der Abwasch war erledigt und die Tür ihres Schlafzimmers war verschlossen. Harmony zählte die Kanten der Münze. Sieben. Sie nahm das Papier zur Hand.
Bis sieben zählen ist nicht schwer. Hm. Dann die Sache mit der Neun. Und *zwei zu viel.* Neun minus zwei ist sieben. »Es hat was mit den Kanten zu tun, nicht mit den Händen«, dachte Harmony. Sechs der Kanten würden sie allerdings nicht ans Ziel ihrer Wünsche bringen. Nur eine. Wie war die richtige Stelle zu finden? Die Lösung lag offensichtlich in den letzten beiden Strophen. *Geradeaus und königlich, nicht römisch und nicht schnöselig.*
Königlich war leicht zu entziffern. Das hatte etwas mit der Königin zu tun. Aber *geradeaus*? Und was hatten die Römer in diesem Rätsel zu suchen? Und *schnöselig*? So benahm sich manchmal ihre

blöde Schwester, aber die war bestimmt nicht gemeint. Auch die allerletzte Zeile mit den weggelassenen Wörtern brachte Harmony kein Stück weiter. Vielleicht lag die Lösung in den Buchstaben **D.G.REG.F.D.**, die seitlich auf der Münze zu lesen waren? »Wenn ich bloß wüsste, was das bedeutet«, seufzte Harmony. »Ich fürchte, du weißt es auch nicht, **R.W.**, oder?«

Rex Wuff blickte einäugig und scheinbar ausdruckslos, aber er hatte Harmony doch etwas mitzuteilen.

»Aber klar!«, sagte sie, »du hast wie immer Recht. Ich brauche bloß alle Kanten nacheinander zu reiben und mir etwas zu wünschen und wenn der Wunsch in Erfüllung geht, dann habe ich die richtige Kante erwischt.« Aber irgendwie kam ihr das fast wie Betrug vor. Es war sicher nicht die richtige Methode zur Lösung des Rätsels. Mit der Geduld, die Teil ihres Charakters war (ihre Familie sprach eher von Sturheit), beschloss Harmony die Heimkehr ihres Vaters abzuwarten. Sie wollte sein Gehirn anzapfen. Er war schließlich der Einzige, dachte sie, bei dem es diesbezüglich etwas anzuzapfen gab.

Mr. Parker kam normalerweise gegen sechs Uhr aus der Stadt zurück. Harmony wusste immer noch nicht genau, womit er seinen Lebensunterhalt verdiente. In ihren Augen balancierte er einen großen bunten Gummiball auf der Nasenspitze. Oder er blies die Nationalhymne auf nebeneinander montierten Trompeten, klatschte danach mit den Flossen und bellte. Manchmal war dieses Bild so lebendig, dass sie erstaunt war ihn auf zwei Beinen zu sehen.

Normalerweise sank der Seelöwe in seinen Lieblingssessel, während die Kropftaube hinausflatterte um ihm seinen Lieblingsdrink zu holen. Die Siamkatze schnurrte derweil um ihn herum und rieb sich an seinem glänzenden schwarzen Anzug. Harmony nahm an dieser Willkommenszeremonie gewöhnlich nicht teil. Deswegen war er ein wenig verwundert sie mit einem irgendwie seltsamen Gesichtsausdruck neben sich stehen zu sehen. Es war ihr *Ich-wills-genau-wissen*-Gesicht, ernsthaft, aufmerksam und respektvoll.

»Harmony«, grunzte der Seelöwe, »was ist los mit dir? Du machst so ein seltsames Gesicht.«

»Was bedeutet D.G.REG.F.D.?«

»Wovon redest du denn überhaupt?«

»Von einem Fünfzig-Pence-Stück. Hast du ein Fünfzig-Pence-Stück?«

Allmählich zeigte sich eine Spur von Verständnis in den ziemlich glubschigen Augen des Seelöwen. Er griff in die Tasche und fischte die erste Münze heraus, die er zu fassen bekam. Zufällig war es ein Zwei-Pence-Stück. »Meine liebe Harmony«, sagte er, »es überrascht mich, aber du hast offenbar noch nicht gemerkt, dass diese Buchstaben auf *jeder* Münze des Königreichs zu sehen sind. Sie sind die Abkürzung für ›DEI GRATIA REGINA FIDEI DEFENSOR‹.«

»Und was bedeutet das?«

»Es bedeutet ›Von Gottes Gnaden, Königin, Verteidigerin des Glaubens‹.«
»Welche Sprache ist das?«
»Latein, Harmony, Latein. Die Sprache der alten Römer.«
Nicht römisch und nicht schnöselig, dachte Harmony.
»Wenn du schnöselig bist«, sagte sie, »dann bedeutet das doch, dass du jemand das Gefühl gibst, er ist doof, oder?«
Der Seelöwe blickte misstrauisch. Er wedelte mit der Flosse und sagte: »Meine liebe Harmony, ich war keineswegs schnöselig zu dir, sondern ich habe versucht den Nebel der Unwissenheit ein wenig zu lichten, der dir den Blick auf die Welt verstellt.«
»Nein, ich hab nur gemeint – bedeutet schnöselig noch irgendetwas anderes?«
»Durchaus. Es bedeutet hochnäsig. Wenn jemand die Nase hochträgt.«
Ein Lichtstrahl fiel durch den Nebel der Unwissenheit. Mit der Diskretion, die Teil ihres Charakters war (ihre Familie sprach eher von Kühle), ließ sich Harmony nichts von ihrer inneren Aufregung anmerken.
»Danke«, sagte sie.

»Geht's um ein Kreuzworträtsel oder so was?«, fragte Mr. Parker und schüttelte die Zeitung auseinander.

»So was in der Art«, sagte Harmony und küsste ihren Vater zu seiner großen Überraschung mitten auf die Glatze.

Als sie dann in ihrem Zimmer allein war mit ihrem *Sowas-von-glücklich*-Gesicht, las sie das Rätsel noch einmal durch. Nun war alles klar. Dieses ganz besondere Fünfzig-Pence-Stück vom Jahrgang 1973 würde ihr sieben Wünsche erfüllen. Mit sechsen war sie ja noch nicht am Ziel. Sie dürfte sich niemals von dieser Münze trennen. Und wie sie schon vermutet hatte, war eine der sieben Kanten die Zauberstelle. Und die beiden letzten Verse sagten ihr, welche die richtige war.

Geradeaus und königlich, nicht römisch und nicht schnöselig. Das war's! Die Nase der Königin!! Sie weist auf die Stelle hin, die **Nase** von der **Königin**.

Dieses Mal schloss Harmony nicht die Augen. Sie hielt die Münze so, dass die Königin aufrecht zu sehen war, und fing an, die magische Kante zu reiben, beginnend beim I von ELISABETH bis zum T, erst langsam und dann immer schneller, bis das Metall unter ihrem Finger allmählich warm wurde.

»Ich wünsche mir«, sagte Harmony, »ein Tier. Eins, das nur mir gehört.«
Unten klingelte es an der Haustür.

Was wirst du dir heute wünschen?

Harmony und Melody erreichten gleichzeitig die Tür. Draußen stand eine Gestalt, die sie auf verschiedene Weise wahrnahmen. Melody sah den Hilfspolizisten aus der Nachbarschaft, einen kleinen Mann mit einem dünnen Hals, einem breiten freudlosen Mund und glasigen starren Augen. Er war bekleidet mit seiner dunklen Uniform und der Mütze mit dem gelben Streifen. Harmony sah einen großen Wassermolch mit einem Kamm auf dem Kopf.

Keinen Zweifel gab es jedoch über das, was er trug. Es war ein mittelgroßes weißes Kaninchen mit schwarzen Flecken.

»Besser man sperrt es in den Stall, bevor es überfahren wird«, sagte der Wassermolch mit strenger Stimme.

»Es gehört nicht zu uns«, sagte Melody.

In diesem Moment kam Mr. Parker an die Tür.

»Ist mein Auto falsch geparkt?«, fragte er.

Du bist ein lausiger Parker, dachte Harmony und zog ihr *Ich-mache-einen-geheimen-Witz*-Gesicht (bucklige Schultern, eingezogener Hals, wackelnde Ohren).
Der Wassermolch streifte sie mit einem kalten amphibischen Blick.
»Nein, Sir, nichts dergleichen«, sagte er. »Ich ging grade vom Dienst nach Hause und sah dieses Kaninchen auf der Straße. Und plötzlich lief es direkt durch Ihre Torfahrt den Weg hinauf zur Haustür. Grad so, als hätte jemand nach ihm gerufen. Deshalb dachte ich…«
»Sehr nett von Ihnen«, bellte der Seelöwe, »aber es gehört nicht zu uns.«
Harmony setzte ihr *Bitte-bitte*-Gesicht auf und der Wassermolch sah seine Chance.
»Vielleicht möchte sich ja eins Ihrer Mädels darum kümmern?«
Die Siamkatze stolzierte bei der Bezeichnung »Mädel« davon und Harmony richtete den *Bitte-bitte*-Blick auf ihren Vater.
»Nur für eine Nacht?«, fragte sie. »Bis der richtige Eigentümer kommt?« Du kannst mir das nicht abschlagen, dachte sie. Die Nase der Queen hat eine Macht, der du nicht widerstehen kannst.

Der Seelöwe blickte sie an. Er fuhr sich mit der Hand über den glänzenden Schädel. Vielleicht war es die Erinnerung an jenen seltenen und unerwarteten Kuss, der diese Stelle getroffen hatte – jedenfalls hörte er sich sagen: »Nun gut, für eine Nacht. Aber ich will das stinkige Ding nicht im Haus haben, verstanden?« Und damit schleppte er sich zurück zu seinem Drink und zu seiner Zeitung.

Mit ausdrucksloser Miene übergab der Wassermolch seine Last und glitt hinweg, die Straße hinunter. Seine fahlen Augen bewegten sich ruckartig hin und her, entlang den Reihen der geparkten Autos. Harmony beobachtete ihn noch einen Moment und hielt das Kaninchen in ihren Armen. Sie machte ihr *Sowas-von-glücklich*-Gesicht. Und auch als sie durch den Vorgarten ums Haus herum ging, dann durch den Obstgarten bis hinunter zu ihrem Versteck, zeigte ihr Gesicht denselben Ausdruck, bis das Grinsen so anstrengend wurde, dass ihr die Wangen wehtaten.

Im Hühnerhaus setzte sie sich auf die Teekiste und beobachtete das Kaninchen, wie es am Boden herumhoppelte und wegen der fremden Gerüche die Nase rümpfte. Harmony sammelte ein paar

Löwenzahnblätter, und das Kaninchen begann zu futtern. Es fühlte sich offenbar wie zu Hause.
»Ein Tier. Ganz allein für mich«, sagte Harmony mit lauter Stimme. »Ich habe es mir gewünscht und schon ist es passiert.«
Sie nahm die Fünfzig-Pence-Münze aus ihrer Tasche und rieb geistesabwesend die magische Ecke.
»Wenn Onkel Ginger nur wüsste, dass ich das Rätsel gelöst habe. Das wünsche ich mir«, sagte sie ohne nachzudenken. Bevor ihr klar wurde, was sie getan hatte, hörte sie, wie jemand ihren Namen rief.
»Harmony! Wo steckst du? Onkel Ginger ist am Telefon. Er möchte dich sprechen.«
»Was wolltest du?«, sagte die tiefe Stimme des Silber-Grizzly, als Harmony den Hörer aufnahm. Harmony warf einen flüchtigen Blick durch den Raum. Die Siamkatze hatte ihre Ohren gespitzt, das sah sie sofort. Die kleinen Ohren des Seelöwen konnte sie nicht sehen, denn er hatte sich hinter seiner Zeitung verschanzt, und die Ohren der Kropftaube waren hinter dem dichten Federkleid ihres Haares versteckt. Aber sie hörten zu. Das war klar.
»Vielen Dank für das Geld«, sagte Harmony.

»Ich hoffe, es hat dir… was gebracht.«
»O ja, das hat es.«
»Das habe ich vermutet. Die Botschaft, die mich vor ein paar Minuten erreichte, war ziemlich eindeutig.«
»Oh.«
»Ich glaube, du hast einen Wunsch verschwendet, stimmt's?«
»Ja. Das heißt nein – es ist schön von dir zu hören.«
»War das der erste Wunsch, den du geäußert hast? Gerade eben?«
»Nein.«
»Du klingst, als würde der Rest der Familie wie verrückt zuhören.«
»Ja.«
»Du weißt doch, wie viele du hast, oder? Wünsche meine ich.«
»Ja.«
»Also gut. Verschwende nicht nochmal einen, ja?«
»Ja.«
»Sobald du fertig bist mit deiner absolut fesselnden Unterhaltung, die einzig und allein aus *Ja* und *Nein* besteht«, sagte Mr. Parker, »dürfte ich vielleicht auch nochmal ein Wort sagen.«

»Ich muss Schluss machen, Onkel Ginger«, sagte Harmony. »Ich glaube, Daddy will mit dir sprechen. Übrigens: ich hab ein Kaninchen.«

Als sie durch die Verandatür hinausging, hörte sie das Gebell des Seelöwen… »Hallo? Ginger? Gute Reise? Wie? Nein, natürlich hat sie keins gekriegt… Irgendjemand hat das räudige Ding an der Tür abgegeben… muss über Nacht irgendwo untergebracht werden… bleibt nur der Gang zum Zoogeschäft, wenn sich kein Eigentümer meldet.«

»Aber wegen dir wird sich kein Eigentümer melden«, sagte Harmony, die wieder auf der Teekiste Platz genommen hatte. »Und du kommst nicht ins Zoogeschäft. Du wirst schon sehen. Jetzt müssen wir erst einmal einen Namen für dich finden. Du siehst irgendwie weiblich aus. Ja natürlich! Du bist die Anita!« Obwohl sie es nicht wussten, waren sämtliche Kinder in Harmonys Schulklasse Tiere der einen oder andern Art. Da konnte durchaus ein Lamm mit einem Löwen zusammensitzen und denselben Tisch beispielsweise mit einem Stachelschwein teilen. Oder mit einem Papagei. Oder sogar (Harmonys Kenntnisse in Naturkunde waren außerordentlich) mit einer Beutelratte oder einem kolumbianischen Nachtäffchen. Und als Harmony jenes dickliche Mädchen erblickt hatte mit den vorstehenden Zähnen und den lauscherartig hochragenden zwei Haarbüscheln, da sah sie sofort ein Wesen, das ein Salatblatt zwischen den Pfoten hielt und daran knabberte. Wenn also Anita ein Kaninchen war, dann sollte das Kaninchen Anita heißen. Als es Zeit zum Schlafen wurde, sah Anita sehr zufrieden aus. Harmony hatte ein Bündel von trockenen Gräsern abgeschnitten und daraus ein Bett gemacht; sie hatte eine Schale mit Wasser gefüllt; und sie hatte aus den Legeboxen eine Art Cafeteria gebaut. Im Angebot: eine aus dem Brotkasten geklaute Kruste, ein paar Karotten aus dem Gemüsebeet, ein heruntergefallener Apfel und noch mehr Löwenzahn.

Sie erzählte Rex Wuff alles ganz genau, als sie im Bett lagen und zusahen, wie der Mond zwischen den Bäumen aufstieg. Rex Wuff sagte nichts, aber sie war sicher, dass er sich mit ihr freute. Und sie hatte immer noch fünf Wünsche frei! Es dauerte nicht einmal so lange wie das Blinzeln eines Kaninchenauges, und schon war sie eingeschlafen.

Der erste Gedanke beim Aufwachen galt Anita. Sie zog sich an und rannte durch den taufeuchten Obstgarten. Der alte Hund baumelte an ihrer

Hand. Auf einer Baumspitze sang eine Drossel immer wieder ihr Lied. »Was wirst du dir heute *wü-hün-schen*? Was wirst du dir heute *wü-hün-schen*?« Harmony konnte die Worte deutlich hören.

Anita und Rex Wuff wurden einander vorgestellt, ohne großes Interesse auf beiden Seiten, und dann ließ Harmony das Kaninchen heraus. Der Obstgarten war an drei Seiten eingezäunt, sodass es weder zum Nachbargrundstück noch auf die Straße abhauen konnte. Im schlimmsten Falle hätte es Richtung Haus hoppeln können oder auf den Rasen. Harmony fand rasch heraus, dass das Kaninchen leicht zu behüten war, solange es graste.

Bald schon hörte man das Wimmern, das der Elektrokarren des Milchmanns von sich gab, und schon streckte er den Kopf über den Zaun, der das Haus zur Straße hin abgrenzte. Für die meisten Leute war der Milchmann ein kleiner, quietschvergnügter Mann mit einem gelben Schopf und einer kleinen Spitznase. Er pfiff dauernd vor sich hin. Für Harmony war er natürlich ein Kanarienvogel.

»Hallo«, sagte der Kanarienvogel, »du bist früh auf den Beinen heute Morgen.«

»Ich bringe mein Kaninchen auf die Weide«, sagte Harmony.

Der Kanarienvogel stand auf seinen dünnen Zehen und streckte den Schnabel über den Zaun. Anita hoppelte auf ihn zu.

»Wie heißt es?«, zwitscherte der Kanarienvogel.

»Anita.«

»Was für ein entzückender Name«, sagte der Kanarienvogel, »und was für ein entzückendes Kaninchen.«

»Und was für ein entzückender Kanarienvogel du bist«, flüsterte Harmony, als er losflatterte und sich trillernd auf den Weg von Haus zu Haus machte.

Das Geräusch der Milchflaschen, die auf den Stufen abgestellt wurden, ließ Harmony daran denken, was Milchmänner sonst noch so brachten. Zum Beispiel Sahne und Eier und Joghurt.

»Ich bin hungrig«, sagte sie zu Anita, »und du hattest erst mal genug.« Sie nahm das Kaninchen hoch und trug es zurück zum Hühnerhaus.

»Komm schon«, sagte sie zu Rex Wuff, »höchste Zeit fürs Frühstück.«

Als sie jedoch zum Haus hinüberblickte, waren die Vorhänge noch geschlossen. Ich wünschte, ich hätte eine Uhr, dachte sie, und plötzlich wurde ihr der Gedanke bewusst... du kannst sie dir ja wünschen! Keine Ahnung, wie es funktioniert, aber es

wird klappen! Wenn du eine Uhr willst, wünschst du sie dir mit der Nase der Queen!
Schnell holte sie das Fünfzigpencestück aus der Tasche ihrer Jeans und drehte es so, dass ihr Zeigefinger die magische Stelle berührte. Sie sah sich um, ob irgendjemand sie beobachtete, aber die einzige Person in Sichtweite war der Postbote am Ende der Straße. Das heißt, für jedermann sonst handelte es sich um den Postboten. Für Harmony jedoch – teils natürlich wegen des Beutels, in dem er die Briefe trug, teils wegen seiner dicken, kräftigen Beine und seines Schafsgesichts –, für Harmony war er ein Känguru.
Harmony machte ihr *Ich-konzentriere-mich*-Gesicht. »Genau«, sagte sie. Mit einem halb geöffneten Auge überprüfte sie, ob der Zeigefinger an der richtigen Stelle lag. Dann begann sie zu reiben.
»Ich wünsche mir«, sagte Harmony, »eine große Armbanduhr, digital, mit Monats- und Datumsanzeige, und mit einem breiten gesprenkelten Armband, das wie Schlangenleder aussieht.«
Sie wartete einen Moment und starrte wie gebannt auf ihr linkes Handgelenk. Sie konzentrierte sich dermaßen, dass sie zunächst gar nicht die Stimme aus der Richtung des Zaunes hörte.

»Guten Morgen«, wiederholte das Känguru.
»Oh… Tschuldigung. Guten Morgen.«
»Wohnst du hier?«, fragte das Känguru und deutete auf das Haus.
»Ja.«
»Parker mit Namen?«
»Ja.«
»Du kannst die Post in Empfang nehmen, falls du willst. Erspart mir den Weg.«
Harmony war nicht groß genug um über die Zaunlatten zu schauen, aber sie konnte sich sehr gut vorstellen, wie seine Füße aussahen: unheimlich kräftig und lang und knochig. Und mit scharfen Fußnägeln. Sie langte nach oben und nahm einige Briefe sowie ein Päckchen entgegen.
»Danke«, sagte das Känguru. »Ich muss weiter.«
Geistesabwesend überblickte Harmony die Post. Drei Briefe waren für den Seelöwen, einer für die Kropftaube, und eine Ansichtskarte war für die Siamkatze. Gelangweilt drehte Harmony das Päckchen um. Es war für sie.
Vorsichtig, ganz vorsichtig, steckte Harmony die Münze in ihre Tasche zurück. Mit zitternden Händen schaffte sie es irgendwie die Schnur und das Klebeband von dem Päckchen abzukriegen. Inner-

halb des braunen Packpapiers war eine blaue Schachtel. Innerhalb der blauen Schachtel war ein weißes Seidenpapier. Innerhalb des weißen Seidenpapiers war eine große Armbanduhr, digital, mit Monats- und Datumsanzeige, und mit einem breiten gesprenkelten Armband, das wie Schlangenleder aussah.

Der Eisbrecher

Während des Frühstücks schienen Harmonys Eltern nichts zu bemerken. Gleichgültig aßen sie vor sich hin und lasen ihre Briefe, während Harmony immer wieder ihr linkes Handgelenk direkt vor ihren Nasen vorbeibewegte, um mit extravaganten Gebärden an den Toast oder die Butter oder die Marmelade zu gelangen. Zunächst hatte sie ihre Cornflakes mit der linken Hand gegessen, wobei sie den Löffel immer wieder lange im Mund behielt und die Uhr jedem in der Runde präsentierte. Erst bei Melodys verspäteter Ankunft wurde sie bemerkt.

»Wo hast du *das* denn her?«, fragte sie.

»Es kam mit der Post.«

»Von wem?«

»Onkel Ginger.« Es war kein Brief in der blauen Schachtel gewesen, aber Harmony hatte die großen Druckbuchstaben der Adresse bemerkt. Geschrieben waren sie mit schwarzem Filzschreiber,

genau wie die Hinweise bei der Schatzsuche. Und die Briefmarke stammte aus Devonshire.
»Sehr schön« und »wie nett von ihm« kam es achtlos aus der Runde. Nur die Siamkatze konnte sich einen Seitenhieb nicht verkneifen.
»Wie doof«, sagte sie mit ihrer gehässigsten Stimme, als sie gegenüber Platz nahm. »Es ist eine Uhr für Jungs. Eine Männeruhr, meine ich. Sie sieht einfach blöd an dir aus.«
Harmony hatte zu ihrem *Ich-hasse-meine-Schwester-*Gesicht noch eine nützliche Alternative auf Lager. Es war das *Am-liebsten-würde-ich-dir-eins-vors-Schienbein-treten-*Gesicht. Sie setzte es auf, ließ die dazu passende Aktion folgen und flitzte blitzschnell aus der Tür. Melodys Schmerzensschrei klang ihr angenehm in den Ohren.
Als Harmony sicher im Obstgarten angekommen war – eine Verfolgung würde es aus Angst vor einem hinterhältigen Überfall gewiss nicht geben –, legte sie sich ins Gras zwischen den reglosen Rex Wuff und die geschäftige, hoppelnde und knabbernde Anita. Was für eine supertolle Uhr war das! Und immer noch hatte sie vier Wünsche frei. Sie befühlte das Fünfzigpencestück in ihrer Tasche. Mit dem Daumen, fand sie heraus, konnte sie die Finger

der verschränkten Hände spüren, und sie konnte die Münze so drehen, dass der königliche Kopf aufrecht stand. Ihr Finger war sogar so empfindsam, dass sie die Konturen des Gesichts spüren konnte und genau wusste, wo die Nase der Queen saß. Sie begann, wie ein Revolverschütze das Ziehen der Münze zu üben. Ihre Tasche war das Holster, die magische Stelle war der Abzug, der einen weiteren Wunsch direkt ins Ziel schicken würde. Bald schon konnte sie fast jedes Mal den Abzugfinger gegenüber der Nase der Queen platzieren. Die schnellste Kanone im Westen, dachte Harmony, aber vergiss nicht, du hast nur noch vier Wünsche frei.

Als Anita mit dem Grasen fertig war, machte Harmony sich auf den Weg zurück zum Haus. Sie bewegte sich vorsichtig. Eher Indianer als Cowboy, huschte sie von Baum zu Baum, überquerte den Rasen wie ein Schatten und glitt auf die Treppe zu, mit der Absicht, in die Sicherheit ihres Zimmers zu gelangen, bevor die rachsüchtige Siamkatze zuschlug. Der Seelöwe war in die Stadt gegangen, um seine Tricks vorzuführen, und die Kropftaube schrieb gerade einen Brief. Das konnte Harmony sehen, als sie auf Zehenspitzen die Halle durchquerte. Die unterste Stufe knackte unter Har-

monys Gewicht, und sie hörte, wie ihre Mutter ihren Namen rief.
Harmony setzte ihr *Als-wäre-nichts-gewesen*-Gesicht auf. (Vorgeschobene Unterlippe, hochgezogene Brauen, heftiges Augenrollen.)
»Ja, Mammi?«
Mrs. Parker jedoch war mühelos in der Lage, Dinge zu vergessen, die erst kurz zuvor passiert waren. Wie bei Tauben üblich, gefiel ihr der Klang ihrer eigenen Stimme über alle Maßen, und weitaus erschütterndere Vorfälle als ein kleiner Zank zwischen ihren Töchtern konnten unbemerkt an ihr vorbeiziehen. Ärgerlicherweise erinnerte sie sich gelegentlich an unerfreuliche Dinge, und dies war jetzt der Fall.
»Onkel Ginger hat dir doch ein Fünfzigpencestück gegeben.«
»Ja –?«
»Du hast es doch nicht ausgegeben, oder?«
»Nein.«
»Ach wie gut. Ich muss rasch mal runter zur Post. Die Briefmarken sind mir ausgegangen, und dort wird man wieder in einer endlosen Schlange stehen, weil die Leute heute ihre Rente abholen. Aber es gibt draußen einen Automaten, an dem

man Briefmarkenheftchen für fünfzig Pence ziehen kann. Also, ich geb dir fünf Zehner...«

»Aber, Mammi...«

»Ja?«

»Ich... will nicht... ich meine, ich kann nicht... ich meine, dieses ist ein besonderes Stück.«

»Oh, sei nicht so dumm, Harmony, fünf Zehner sind ganz genauso viel wert. Ich sage dir was: das nächste Mal, wenn ich ein Fünfzigerstück habe, kannst du die fünf Zehner wieder eintauschen. Fünfzigpencestücke sind schließlich alle gleich, musst du wissen. Nun mach schon, mein Schatz, ich bin in Eile.«

Später überdachte Harmony alle Möglichkeiten zur Lösung dieses Falles. Sie hätte anbieten können, die Besorgung selbst zu erledigen, und hätte die Zehner unterwegs in einem Laden wechseln können. Sie hätte freiwillig Schlange stehen können um die Briefmarken zu bekommen. Sie hätte sich schlicht und einfach aus dem Staub machen können. Tatsächlich aber reagierte sie instinktiv. In die Enge getrieben, griff sie nach ihrem Revolver. Mit einer einzigen blitzschnellen Bewegung griff sie in die Hosentasche, ertastete das königliche Gesicht und rieb.

»Ich *wünsche* mir, dass du grade dieses Fünfzig-Pence-Stück nicht brauchst«, sagte sie.
Melody steckte den Kopf zur Tür herein.
»Oh, Melody-Liebling«, rief die Kropftaube mit kläglicher Stimme, »ich brauche ein Fünfzig-Pence-Stück für Briefmarken, vielleicht kannst du mir helfen, Harmony weigert sich, warum, weiß ich nicht.«
»Aber ja, Mammi«, schnurrte die Siamkatze, »ich habe sicher noch eins in meiner Geldbörse. Ich hole es. Manche Leute sind nun mal egoistische kleine Biester.«
Ich habe schon wieder einen verschwendet, dachte Harmony. Aber als sie nachschaute, merkte sie, dass ihr Finger hinten am Kopf der Queen gerieben hatte. Dieses Mal war sie nicht durch Zauberei gerettet worden, sondern sie hatte einfach Glück gehabt.
In ihrem Zimmer setzte sich Harmony ans Fenster und drehte die Zaubermünze im Licht hin und her. Sie fand heraus, dass man den Gesichtsausdruck der Queen verändern konnte, indem man die Nase mehr zu sich hin richtete oder von sich weg. Wenn man wollte, sah sie traurig aus; dann kam ein kleines Lächeln, das sich zum Grinsen ver-

wandelte; dann sah sie ernst aus und schließlich bekam sie einen strengen Gesichtsausdruck.

Sie probierte all die verschiedenen Gesichter im Spiegel. Als sie bei dem strengen Ausdruck angelangt war, behielt sie ihn und sprach mit schroffer Stimme zu sich selbst.

»Was würde der Silberne denken, wenn er wüsste, dass du beinahe schon wieder einen verplempert hättest? Du hast nun mal eine Zaubermünze, die dir alles gewährt, was du willst. Alles. Du musst unbedingt dafür sorgen, dass du das nächste Mal etwas kriegst, was du wirklich brauchst. Etwas, das du ohne diese Zauberei einfach nicht haben kannst. Denk nach, Harmony, denk scharf nach!« Sie wechselte von der strengen Königin zum *Ich-konzentriere-mich*-Gesicht. Sie musste sich etwas Vernünftiges und Nützliches aussuchen, etwas, das so teuer war, dass sie normalerweise nie daran gedacht hätte.

Natürlich! Ein Fahrrad! Nicht so ein geerbtes, tausendmal hingeschmissenes, verbeultes und rostiges Ding wie das, was sie bereits hatte, sondern ein nagelneues, glänzendes, prachtvolles, unglaublich teures! Sie sah sie nun alle vor sich. Eine großartige Armee von Fahrrädern in allen Ausführungen, allen Größen und allen Farben des Regenbogens war zur Parade aufmarschiert. In den Schaufenstern des großen Fahrradgeschäftes im Einkaufszentrum warteten sie darauf, von ihr inspiziert zu werden. Jedes konnte sie haben, sie brauchte es sich bloß zu wünschen!

»Wir fahren jetzt, Rex Wuff«, sagte sie.

»Wie? Mit dem Bus natürlich.«

»Ob ich genug Geld für den Bus habe, fragst du? Ich glaube schon.«

Rasch zog sie den Gummistöpsel aus dem Porzellanschwein, in dessen rosafarbenem Bauch sich ihr ganzes weltliches Vermögen befand, und zählte ihr Geld.

Es war gerade genug.

»Schließlich brauchen wir ja keine Rückfahrkarte!«

Sie rannte die Treppe hinunter. Melody lag auf dem Sofa im Wohnzimmer und bemalte ihre Krallen mit einem fürchterlichen Grün. Wie Harmony mit einer gewissen Genugtuung bemerkte, handelte es sich ungefähr um die gleiche Farbe wie bei der Prellung an Melodys Bein.

»Wo ist Mammi?«, fragte Harmony.

»Sie ist zur Post gegangen, du egoistisches kleines Biest.«

»Sag ihr, dass ich einkaufen gehe.«

»Einkaufen? Du? Du willst wohl das Fünfzig-Pence-Stück ausgeben, das du ihr vor lauter Egoismus nicht geben wolltest.«

Im Bus übergab Harmony dem Fahrer (einem alten englischen Schäferhund, wie sie mit Interesse zur Kenntnis nahm) eine Sammlung von Münzen – Halfpennies, Pennies und zwei Pencestücke – und setzte sich hin. Sie war gespannt und aufgeregt, hielt Rex Wuff mit der einen Hand und umklammerte mit der andern die Zaubermünze in ihrer Tasche. Einige Leute starrten neugierig auf das kleine Mädchen mit dem schäbigen Spielzeughund, aber eine kurze Demonstration des *Ich-mache-einen-geheimen-Witz*-Gesichts ließ sie rasch wieder wegschauen.

Als sie beim Fahrradgeschäft angekommen war, blieb sie lange draußen stehen und starrte hinein. Wie sollte sie sich jemals für ein Fahrrad entscheiden können? Sie waren alle so was von wunderschön. Es gab große Räder mit schmalen Reifen und es gab kleine, gedrungene Räder mit dicken Reifen. Es gab Räder mit herabgebogenen Lenkern, die wie angriffslustige Widder aussahen, und es gab Räder mit Lenkern, die wie die Hörner von Steinböcken emporragten. Es gab blaue Räder,

rote Räder, grüne Räder, gelbe Räder. Und alle schimmerten so prächtig... total neu!
Harmony ging hinein und stand zwischen den Rädern. Vielleicht war es die Ruhe und die Kühle hinter der Glasscheibe, vielleicht waren es die leuchtenden exotischen Farben der Bewohner, jedenfalls fühlte sich Harmony wie in einem Aquarium. Deshalb war sie auch keineswegs überrascht, als sie in dem Verkäufer, der sich geräuschlos über den sandfarbenen Boden auf sie zu bewegte, eine Lachsforelle erkannte. Ganz eindeutig. Er war gesprenkelt, hatte leuchtend gelbe Augen und schwebte geschmeidig neben sie.
»Kann ich der jungen Dame helfen?«
»Ich möchte ein Fahrrad«, sagte Harmony.
»Ach«, sagte die Lachsforelle. Er warf einen fischigen Blick auf die schäbigen, abgeschnittenen Jeans dieser Kundin, auf ihre alten Segeltuchschuhe und auf ihr nicht allzu sauberes T-Shirt (»Hände weg von den jungen Seehunden« lautete der Hinweis auf diesem Exemplar).
»Welches gefällt dir denn am besten?«
Harmony zögerte, als er das nächstbeste Rad tätschelte, eine schlanke Rennmaschine mit Lenkergriffen, die beinahe den Boden berührten.

»Tja«, sagte er, »dieses zum Beispiel ist ein Rennmodell – Achtundzwanziginchräder, Scheibenbremsen, Halogenbeleuchtung, Zwölfgangschaltung. Hattest du so etwas im Auge?«
»Nein«, sagte Harmony. »Ich möchte eins mit fetten Reifen. Und mit einem vernünftigen Lenker. Keiner, der hochsteht oder runterhängt. Und eine Satteltasche. Für meinen Hund.«
Die Lachsforelle glotzte auf Rex Wuff.
»Ich verstehe«, sagte er. »Wie wär's hiermit? Eine ganz andere Art von Maschine. Zwanziginchräder, drei Gänge, Kettenschutz, Reflektoren außen an den Lenkergriffen, gepolsterte Sicherheitsverstrebung zwischen den Lenkstangenhörnern. Und die Reifen sind selbstverständlich, äh… fett. Sehr beliebtes Modell, besonders bei Jungs.«
Es gab drei davon. Sie standen nebeneinander und sahen ziemlich gleich aus. Eines hieß »Leuchtkäfer« und war knallrot. Das Zweite hieß »Donnerkeil« und war ganz in Gelb und Silber gehalten. Das Dritte war blau. Ein dunkles und geheimnisvolles Blau, wie bei einem kalten abgelegenen See. Es hatte eine Gepäckbox über dem Hinterrad. Genau in der richtigen Größe. Es hieß »Eisbrecher«. Harmony zeigte darauf.

»Ich nehme dieses.«
»Möchtest du nicht wissen, was es kostet?«
»Wie teuer ist es?«
»Hundertvierzig Pfund.«
»In Ordnung.«
Harmony steckte die Hand in die Tasche und kramte das Fünfzigpencestück heraus. Sie ertastete die Nase der Queen und fand die magische Stelle. Sie rieb.
»Ich *wünsche* mir«, sagte sie in ruhigem Befehlston, »dieses Fahrrad.«
Die Lachsforelle schluckte. Er rief nach einer Assistentin (einem Goldfisch, wie Harmony bemerkte).
»Diese junge Dame«, sagte er, »möchte dieses Modell kaufen. Ich habe ihr den Preis genannt. Mit fünfzig Pence, fürchte ich, werden wir allerdings nicht weit kommen.«
Die Augen des Goldfischs traten hervor.
»*Dieses* Modell?«, sagte sie und berührte den schwarzen Plastiksattel des Eisbrechers. Harmony sah, dass mitten auf dem Sattel ein großer roter Stern befestigt war. »Dieses spezielle Modell?«
»Ja.«
»Sei so lieb und entschuldige uns einen Moment«,

sagte der Goldfisch zu Harmony und zog die Lachsforelle zur Seite. Harmony konnte sehen, wie sich ihre dicken Lippen bewegten, als sie ihm etwas zuflüsterte. Sie gingen hinter den Ladentisch und der Goldfisch drückte auf eine Klingel.

Aus einer versteckten Höhle im hinteren Teil des Aquariums kam ein massiger grauer Schatten herbeigeschwommen, dessen riesige Brillengläser seitlich am Kopf überstanden – ein Hammerhai, keine Frage –, und die drei berieten sich miteinander.

Schließlich kam der Hammerhai auf Harmony zu.

»Guten Morgen, meine Kleine«, sagte er mit öliger Stimme. »Ich bin der Geschäftsführer dieses Ladens. Wenn ich es richtig verstehe, möchtest du dieses schöne Fahrrad erwerben?«

»Ja, bitte.«

»Du kennst den Preis?«

»Ja, die Lachsf... der Mann hat's mir gesagt.«

»Wie könntest du denn jemals so viel Geld zusammenbekommen?«

Blöder alter Hai, dachte Harmony, du wirst der Zauberkraft der königlichen Nase nicht widerstehen.

»Könnte ich es jetzt vielleicht haben?«, fragte sie höflich.

Der Hammerhai schüttelte seinen Hammerkopf in ungläubigem Erstaunen. Hinter seinem Rücken schüttelten die Lachsforelle und der Goldfisch ebenfalls ihre Köpfe.
»Du hast wirklich sehr viel Glück, meine junge Dame«, sagte der Hai.
»Ja, ich weiß.«
»Dieses Fahrrad«, sagte er, nahm den Eisbrecher aus seinem Ständer und stellte ihn ehrfürchtig vor Harmony hin, »dieses Fahrrad, das du ausgesucht hast, ist kein gewöhnliches Fahrrad. Dieses Fahrrad – das sagt uns der rote Stern auf dem Sattel – unterscheidet sich ganz wesentlich von jedem anderen Fahrrad, von jedem anderen Modell in diesem Laden, in dieser Stadt, in ganz England. Nicht einmal meine Assistenten wussten davon – diese Dame hier war angewiesen, mich zu rufen, sobald ein Kunde das Rad mit dem roten Stern auf dem Sattel auswählen sollte – –: dieses Fahrrad ist sage und schreibe der *zehntausendste*... Eisbrecher, der hergestellt wurde.«
»Oh«, sagte Harmony.
»Und weil es das *zehntausendste* Exemplar ist«, dröhnte der Hammerhai mit immer lauter werdender Stimme, »hat jene berühmte Fahrradfirma, die

dieses Rad herstellt –« er nannte einen landesweit bekannten Namen – »in ihrer Weisheit entschieden, dass der glückliche Kunde, der dieses Rad ausgewählt hat, zum Zwecke der Werbung eben dieses Rad –« er tätschelte den rot besternten Sattel – » nicht zum Vorzugspreis erhält, auch nicht zum halben Preis, sondern …»– er machte eine Pause und breitete die Arme aus – »UMSONST!!!«
Harmony steckte das Fünfzig-Pence-Stück wieder in die Tasche ihrer Jeans.
»Besten Dank«, sagte sie.

Die Herren von der Presse

Die Erfüllung aller Wünsche war bisher so schnell und so prompt erfolgt, dass Harmony damit rechnete, sich einfach auf den Eisbrecher zu schwingen und nach Hause zu fahren. Diesmal jedoch war das Resultat des königlichen Nasenzaubers nicht ganz so leicht zu haben. Zu ihrem Entsetzen musste Harmony feststellen, dass sie nicht nur eine Fahrradbesitzerin geworden war, sondern auch eine Berühmtheit.

Der Hammerhai hatte begierig auf diesen Moment gewartet, seitdem die Herstellerfirma sein Geschäft für die Werbeaktion ausgewählt hatte. Zwei ganze Wochen hatte der Eisbrecher nun im Fenster gestanden, mit seinem roten Markierungsstern auf dem Sattel. Viele Kinder, in Begleitung ihrer Eltern oder alleine, hatten ihn angeschaut. Manche hatten ihn haben wollen, hatten sich sogar dafür entschieden. Dann entschieden sie sich aber doch anders, oder sie wurden dazu gebracht, sich anders zu entscheiden, und sie nahmen ein anderes Modell. Nun hatte sich endlich ein Kind für den Eisbrecher entschieden und der Hammerhai war entschlossen, aus dieser Gelegenheit ein Höchstmaß an Werbewirkung herauszuholen.

Ein Jammer, dachte er, als er Harmony mit seinen harten kleinen Augen näher betrachtete, dass es gerade dieses Kind sein musste. Das Rad passte viel besser zu einem Jungen. Der Hai hatte sich als glücklichen Besitzer einen strammen und ordentlich angezogenen Burschen vorgestellt, der breit in die Kameras lächelte und sich vor lauter Glück gar nicht mehr einkriegen konnte. Stattdessen nun dieses verwahrloste Mädchen, das die ganze Sache für selbstverständlich zu halten schien. Er konnte keinen Schimmer von Begeisterung in ihren braunen Augen erkennen. Es sah beinahe so aus, als habe sie fest damit gerechnet, ein Fahrrad im Wert von hundertvierzig Pfund umsonst zu bekommen. Und dabei hatte sie nur fünfzig Pence in ihrer Tasche!

Mit der Übergabe des Rades konnte er sich ruhig Zeit lassen. Erst musste er mehr über sie wissen. Außerdem musste er sofort die Presse benachrichtigen. Er lächelte ein kaltes Hai-Lächeln.

»Na, bist du nicht ein glückliches Mädchen?«, fragte er.
»Bin ich«, sagte Harmony. »Könnte ich jetzt das Rad haben? Ich sollte besser nach Hause fahren, sonst komme ich zum Abendessen zu spät und meine Mammi macht sich Sorgen.«
»Oh, wir können nicht zulassen, dass sich die Mammi Sorgen macht«, sagte der Hammerkopf. »Ich sage dir, was wir machen werden – wie heißt du übrigens?«
»Harmony Parker.«
»Ich sage dir, was wir machen werden, Harmony – was für ein hübscher Name –: wir rufen die Mammi an und erzählen ihr, was für eine überglückliche Tochter sie hat. Und dann dauert es auch nicht mehr lange, bis du dein schönes neues Rad mitnehmen darfst.«
»Warum kann ich es nicht jetzt gleich mitnehmen?«
Der Hammerhai lachte und zeigte dabei seine großen Zähne. Hinter seinem Rücken kicherte der Goldfisch, während die Lachsforelle albern grinste.
»Ach du meine Güte, so einfach ist das nicht. Du bist nun eine Berühmtheit, verstehst du. So etwas passiert ja nicht alle Tage, stimmt's? Dein Foto wird in den Zeitungen erscheinen, in unseren

Lokalzeitungen und hoffentlich auch in den überregionalen Zeitungen. Vielleicht kommst du sogar ins Fernsehen. Das magst du doch, oder? So, und nun sagst du mir, wo du wohnst, und gibst mir deine Telefonnummer, und wir werden alles arrangieren.«

Harmony griff in die Tasche und ertastete die Nase der Queen. Sie mochte den Hammerhai nicht und sie wollte auch nicht berühmt sein. Ich könnte dich im Nu soweit bringen, dass du mir das Rad ohne dieses Theater übergibst, dachte sie. Aber es waren nur noch drei Wünsche übrig. Sie rückte ihre Adresse und ihre Telefonnummer heraus.

In kürzester Zeit war der Fahrradladen überfüllt mit Leuten. Mrs. Parker und Melody kamen, Reporter und Fotografen waren da und eine Menge von neugierigen Passanten starrten durch die Schaufensterscheiben. Harmony wurde fotografiert, wie sie neben dem Eisbrecher stand, wie sie auf dem Eisbrecher saß, und ebenso beim Händeschütteln mit einem strahlenden Hammerhai, als ihr der Eisbrecher in aller Form überreicht wurde. »Hallo Kleine, lächeln!«, schrien die Fotografen, aber ein kurzer Blick in das *So-was-von-glücklich-*Gesicht brachte sie rasch zum Verstummen.

›Ernsthaft... verschlosssen... benommen vor Glück... die kleine Harmony zeigte keinerlei Gefühl...‹, notierten die Reporter.

»Oh, wie sie wieder aussieht in diesen schrecklichen alten Klamotten!«, sagte Mrs. Parker schmollend zu Melody, aber Melody war zu sehr damit beschäftigt ins Bild zu kommen.

Bevor die letzten Bilder geschossen wurden (Harmony radelt davon), wurde die glückliche Besitzerin des zehntausendsten Eisbrechers von den Herren der Presse befragt. Sie mussten wohl alles geglaubt haben, was ihnen dieses großäugige Kind erzählte, denn die Berichte, die am nächsten Tag in den Zeitungen standen, kamen Harmonys Familie höchst seltsam vor.

Der Seelöwe erfuhr auf Fahrt ins Büro, dass er keineswegs, wie seit Jahren angenommen, ein ganz normaler Geschäftsmann war, sondern ein ausgezeichneter Buchhalter der höchsten Güteklasse.

»Und wo arbeitet dein Daddy?«

»In der City.«

»Was macht er da?«

»Oh, er beherrscht ein paar ziemlich clevere Tricks. Ich stelle mir immer vor, wie er balanciert. Er kennt sich gut aus in Balance.«

»In Balance? Oh, du meinst *in Bilanzen*? Verstehe. Und er ist brillant, ja?«
»Er ist ein Ass.«)
Die Kropftaube erschien wie immer spät beim Frühstück und sah sich als interessanten Krankheitsfall mit ungewöhnlichen Beschwerden beschrieben.
»Und was macht Mammi?«
»Nicht viel.«
»Was heißt das?«
»Es gibt kaum etwas, was sie gut kann, meine ich. Sie legt sich oft hin.«
»Legt sich hin? Oh, sie braucht Ruhe? Was ist los mit ihr?«
»Kann ich nicht sagen. Sie war schon immer so.«
»Immer schon? Tragisch, tragisch.«
Der Siamkatze erging es am schlimmsten. Irgendwie mussten die Reporter ihren Namen missverstanden haben. Irgendwie falsch gedeutet wurde offenbar auch ihr ziemlich hohles Lächeln mit offenem Mund, das Melody (in der Hoffnung, fotografiert zu werden) jedem schenkte, der sich zufällig im Geschäft umschaute. Aber vielleicht hatten sie auch nur missverstanden, was Harmony sagte.
»Also das ist deine Schwester?«

»Ja.«
»Welch ein seltsamer Name. Nennst du sie so oder hast du einen speziellen Spitznamen für sie?«
»Ich nenne sie blöde Tussi.«
»Blöd? O je.«
Weswegen auch immer – die Morgenzeitung trieb das ältere Fräulein Parker jedenfalls in hysterische Wutanfälle. Unter einem Foto, das Harmony rittlings auf dem Eisbrecher zeigte, war zu lesen:

Das kleine Mädchen und sein Glückstreffer

Das zehntausendste Fahrrad – umsonst!

Harmony Parker, die jüngere Tochter eines brillanten Londoner Buchprüfers, wurde gestern zur stolzen Besitzerin des 10000sten Eisbrechers, den die Fabrik hergestellt hat...

Es folgten einige Detailinformationen über das Rad und über die Geschichte des mysteriösen roten Sterns auf dem Sattel (»Wie viele Kinder, so fragt man sich, werden sich jetzt wohl wünschen, sie hätten diese Wahl getroffen«), und selbstverständlich wurde sowohl der Hammerhai als auch sein Geschäft namentlich erwähnt.

Was die Siamkatze aufschreien ließ, war jedoch der letzte Satz.

> Die kleine Harmony Parker wird ihren kostbaren neuen Besitz nicht nur zu vergnüglichen Ausflügen benutzen, denn jetzt wird sie in der Lage sein mit dem Fahrrad so manche Besorgung für ihre Familie zu erledigen. Ihre Mutter ist bedauernswerterweise chronisch krank und dazu verurteilt die meiste Zeit des Tages liegend zu verbringen. Und ihre Schwester Malady kämpft tapfer mit den Problemen einer Zurückgebliebenen.

Verloren und gefunden

In den folgenden Tagen dachte Harmony fast nie an die Nase der Queen. Sie war zu sehr damit beschäftigt, mit dem Eisbrecher lange Ausfahrten zu machen, wobei Rex Wuff in der blauen Gepäckbox hinter ihrem Rücken verstaut wurde. Er passte genau hinein, vorausgesetzt, dass Harmony sein schlaffes Bein nach unten umknickte. Und dann musste ja die Uhr überprüft werden, und zwar öfters, denn Harmony wollte rechtzeitig zu Hause sein, um Anita die Gelegenheit zu verschaffen, ausgiebig zu grasen und zu spielen. Die Zaubermünze befand sich stets in der Tasche der alten Jeans und von Zeit zu Zeit griff sie nach ihr, nur um sich zu beruhigen. Aber sie verspürte nicht das Bedürfnis, sie zu benutzen. Was die letzten drei Wünsche betraf, so bildeten sich ein paar verschwommene Ideen in ihrem Kopf. Aber sie hatte es nicht eilig. Die Sommerferien dauerten ja noch drei Wochen. Gerade war sie von einer Fahrradtour zurückge-

kommen, als die Kropftaube aus dem Haus geflattert kam, um sie schon im Torweg zu begrüßen.
»Harmony, mein Schatz, rate mal, was passiert ist!«
»Was?«
»Du wirst im Fernsehen auftreten! Die BBC hat angerufen, sie kommen hierher und machen ein Interview mit dir! Morgen!«
»O nein, Mammi, du hast doch nicht etwa zugesagt, oder?«
»Aber ja! Und eines sage ich dir: Ich bestehe darauf, dass du nicht in diesen scheußlichen Sachen vor die Kamera trittst. Heute Nachmittag gehen wir in die Stadt und kaufen dir ein hübsches neues Kleid.«
Harmony sagte nichts. Stattdessen zog sie ihr *Keine-Folter-dieser-Welt-wird-mich-dazu-bringen-dir-zu-gehorchen*-Gesicht. Mrs. Parker registrierte das sofort auf Grund langjähriger Erfahrung. Sie ließ den Blick sinken.
»Also gut. Aber ein Paar neue Jeans.«
»Darf ich sie aussuchen?«
»Ja.«
»Und ein neues T-Shirt?«
»Ja.«
»Und ein Paar Trainingsschuhe? Und Fußballsocken?«

»Fußballsocken! Schätzchen, du kannst doch nicht... na prima.«

Am folgenden Abend sahen etwa eine Million Zuschauer im Fernsehen eine Sendung über ein junges Mädchen, das ein neues Fahrrad geschenkt bekommen hatte. Harmony hatte überlegt, ob sie die Nase der Queen dazu benutzen sollte, sich das Fernsehteam vom Leibe zu halten, aber irgendwie war ihr das nicht fair vorgekommen, wo sie doch schon mal ihre neuen Klamotten anhatte. So ließ sie also das Interview in stoischer Ruhe über sich ergehen.

Sie trug ein smaragdgrünes T-Shirt, auf dem in scharlachroten Großbuchstaben die Botschaft *Pelze sind für Tiere, nicht für Menschen* prangte. Dazu trug sie leuchtend rosafarbene Jeans, die in prächtige rot-gold-gestreifte Fußballsocken hineingestopft waren, sowie ein Paar Trainingsschuhe mit schwarzen und himmelblauen Streifen.

Nachdem der Interviewer, der Beleuchter und der Kameramann alles zusammengepackt hatten und das Haus der Parkers vormittags wieder verlassen hatten, ließ Harmony ihre neuen Sachen auch am Nachmittag an. Sie trug sie immer noch, als sie alle um den Fernseher saßen und sie, Harmony, dabei beobachteten, wie sie aus dem Kasten herausschaute in ihrem buntscheckigen Aufzug. Tausende von Zuschauern waren sicherlich damit beschäftigt, die Farben an ihrem Gerät neu einzustellen.

Als es vorüber war, gaben die andern ihren Kommentar ab.

»Man hat das Gefühl, du hättest außer Ja und Nein überhaupt nichts gesagt, Schätzchen – ich wünschte, du hättest ein bisschen mehr erzählt.«

»Sei froh, dass sie es nicht getan hat.«
»Du hast wie ein totaler Freak ausgesehen, Harm – in deinen normalen alten Fetzen hättest du eine bessere Figur abgegeben.«
Etwas später spürte Harmony plötzlich das Bedürfnis, ihre normalen alten Fetzen anzuziehen. Den ganzen Tag hatten sie auf dem Stuhl in ihrem Schlafzimmer gelegen. Die Zaubermünze war in der Tasche der abgeschnittenen Jeans verwahrt und Rex Wuff bewachte sie.
Als sie die Tür öffnete, erschrak sie vor Entsetzen. Rex Wuff war da, das alte T-Shirt war da, die Segeltuchschuhe waren da. Die Jeans waren weg.
Sie jagte die Treppe hinunter, jeweils zwei Stufen auf einmal.
»Mammi, wo sind meine alten Jeans?«
Die Kropftaube rückte schutzsuchend ein bisschen näher an den Seelöwen heran.
»Tut mir leid, aber sie sind weg. Sie waren wirklich *zu* abstoßend.«
»Weg? Wohin hast du sie getan?«
»In die Mülltonne.«
Wie ein farbiger Blitz schoss Harmony davon, durch die Diele, durch die Küche, raus in den kleinen Hinterhof. Die Nase der Queen in der Müll-

tonne! Ausgerechnet! Welch ein Glück, dass die Müllmänner erst am Montag kamen. Sie riss den Deckel auf. Die Mülltonne war leer.
Langsam ging sie zurück ins Wohnzimmer. Normalerweise hätte sie das *Meine-Mutter-macht-mich-wahnsinnig*-Gesicht aufgesetzt, aber diesmal war die Lage zu ernst.
»Die Müllmänner müssen schon da gewesen sein«, sagte sie mit leiser Stimme.
»Ja, mein Schatz, das waren sie. Nächsten Montag ist Feiertag, deswegen sind sie schon diese Woche gekommen.«
»Willst du damit sagen, dass du meine alten Jeans weggeschmissen hast, ohne wenigstens mal in die Taschen zu schauen?«
»Natürlich nicht, Schatz. Natürlich habe ich nachgeschaut. In einer Tasche war ein Taschentuch. Ich hab's gewaschen.«
»Und in der andern Tasche?«
»Oh, da war leider nur eine einzige Sache drin«, sagte Mrs. Parker und kicherte.
»Ja?«
»Ein Loch.«
Zehn Minuten später saß Harmony auf der Teekiste im Hühnerhaus. Rex Wuff baumelte an ihrer

Hand, während Anita neugierig an den rot-gold-gestreiften Fußballsocken schnupperte. Harmony hatte bereits den Fußboden ihres Schlafzimmers abgesucht. Sie trug ihr *Ich-konzentriere-mich*-Gesicht.

Was habe ich heute Morgen gemacht, nach dem Aufstehen und vor dem Umziehen für die BBC-Leute? Es war das Letzte, was ich gestern Nacht in der Hand hatte. Ich habe damit herumgespielt. (Oft spielte Harmony, wenn sie im Bett lag, ein Spiel mit der Zaubermünze. Sie erging sich in fantastischen Wünschen – ich *wünschte*, ich wäre auf dem Mond; ich *wünschte*, ich hätte schwarze Haare und blaue Augen; ich *wünschte*, ich wäre Mittelstürmer in der Nationalmannschaft –, achtete aber stets darauf, dass sie niemals an der Stelle rieb, auf die die Nase der Queen hindeutete, sondern an irgendeiner der andern sechs Kanten.) Wo könnte die Münze hingefallen sein? Hier drinnen. Irgendwo im Obstgarten, als ich dich auf die Weide führte, Anita. Im Bad, in der Küche, im Esszimmer, im Wohnzimmer.

Den ganzen Abend lang suchte sie, oben und unten, aber von der Zaubermünze fand sie keine Spur.

»Ich *wünschte*, ich könnte sie finden«, sagte Harmony traurig, als sie schließlich im Bett lag, aber ohne die Zauberkraft der königlichen Nase, das wusste sie, war dieser Wunsch genauso vergeblich wie die Wünsche von irgendwelchen anderen Leuten.
Sie dachte an das Rätsel. *Du und ich, wir sind ein Paar.* Wenn's nur wieder so wäre. Aber wo steckst du? *Und trennen soll uns niemand mehr.* Wir sind aber getrennt.
»O je«, seufzte Harmony in Rex Wuffs Ohr. »Schon der Gedanke, dass noch drei Wünsche offen sind. Ich sag dir was: Falls irgendjemand die Münze findet, gebe ich ihm ohne weiteres einen der drei Wünsche ab. Das ist mein Ernst. Ich verspreche es hiermit und du bist mein Zeuge.«
Lange konnte sie nicht einschlafen, und als sie es dann doch konnte, träumte sie von Fünfzigpencemünzen. Anitas Augen waren Fünfzigpencestücke, das Zifferblatt der Uhr war ein Fünfzigpencestück, und die Räder des Fahrrades waren ebenfalls Fünfzigpencestücke.
Sie schlief lange und kam als Letzte zum Frühstück herunter.
»Hinter was bist du denn gestern Abend her gewe-

sen?«, fragte der Seelöwe und entgrätete sorgfältig seinen Räucherhering.

»Ja«, sagte die Kropftaube und pickte an ihren Cornflakes, »was hast du denn gesucht, Schätzchen? Läufst überall im Haus auf und ab, starrst auf den Boden und trampelst im Garten herum.«

»Ich hab was verloren.«

»Was denn?«

»Ein Fünfzigpencestück.«

Die Siamkatze hob den Blick von ihrer Milch.

»Doch nicht das alte Fünfzigpencestück, oder? Hast du deswegen alles auf den Kopf gestellt? Warum hast du denn das nicht gleich gesagt?«

»Wie meinst du das?«

»Es lag in deinem Zimmer auf dem Fußboden. Ich habe es dort gesehen, als ich vorbeigegangen bin, gleich nach deinem tollen Fernsehauftritt. Es wird wohl durch das Loch in der Hosentasche gefallen sein, als Mammi deine ekelhaften Jeans weggeschmissen hat.«

»Was hast du damit gemacht?«

»Was glaubst du, was ich damit gemacht habe – ausgegeben vielleicht? Ich bin keine Diebin, verstehst du, Harm! Egal, was du von mir denkst«, sagte Melody ziemlich bitter.

»Also, wo ist es?«
»Wo es hingehört. Ich habe es in dein scheußliches rosa Sparschwein getan.«
Bevor sie sich rühren konnte, war Melody in einer bärenstarken Umarmung gefangen und spürte auf ihrer Wange außerdem einen Kuss.
»O Melody, vielen, vielen Dank!«, rief Harmony und schon war sie hinausgezischt wie ein Wirbelwind.
Totale Verblüffung zeigte sich in den Gesichtern ihrer Familie.
»Was soll denn das alles?«, sagte ihre Mutter.
»Erwarte nicht von mir, dass ich deine jüngere Tochter verstehe«, sagte ihr Vater.
»So ein Theater«, sagte ihre Schwester, »und das alles wegen einer stinknormalen alten Fünfzigpencemünze. Mal gespannt, was als Nächstes kommt.«
Später an diesem Vormittag sollte sie es wissen.
Als Harmony das Sparschwein geleert hatte und die kostbare Münze in die Hosentasche der neuen Jeans gesteckt hatte – die Tasche wurde zunächst einmal nach außen gestülpt, um die Festigkeit der Naht zu überprüfen –, da fiel ihr ein, was sie versprochen hatte.

»Der nächste Wunsch gehört der blöden Tussi«, sagte sie zu Rex Wuff, »aber wir dürfen das Geheimnis nicht verraten, das würde der Silberne sicher nicht gut finden. Ich muss für sie etwas wünschen. Ich muss rausfinden, was sie will.«
Melody lag auf dem Sofa und las eine amerikanische Zeitschrift, als sie hörte, wie ihr Name gerufen wurde.
»Was willst du?«, fragte sie.
»Das wollte ich dich gerade fragen.«

»Wie meinst du das?«
»Na ja – stell dir mal vor, du hättest einen Wunsch frei. Was würdest du dir wünschen?«
»Ach, sei nicht so dumm, Harm. Man kann nicht irgendwelche Sachen kriegen, indem man sie herbeiwünscht. Das ist kindisch.«
»Aber stell dir mal vor, du könntest es – durch Zauberei. Was würdest du dir wünschen?«
»Du bist wirklich kindisch. Glaubst an Zauberei. So ein Quatsch.«
»Ach komm, Melody. Nur zum Spaß. Was wär's?«
Melody knirschte genervt mit den Zähnen. Sie wollte in Ruhe gelassen werden. Stirnrunzelnd vertiefte sie sich in ihr Magazin und sagte: »Ich weiß nicht.«
»Sag schon. Was wär's?«
»Herrgottnochmal! Ich... ich wünschte, ich könnte nach Amerika!«
Im Hühnerhaus diskutierte Harmony mit Rex Wuff und Anita über die Angelegenheit.
»Es ist ja nicht so, dass das nicht zu machen wäre, versteht ihr? Die Nase der Queen schafft alles. Wir müssen nur gut nachdenken, wie wir es anstellen. Wenn ich einfach sage: ›Ich wünsche mir, dass Melody nach Amerika geht‹, dann könnte das ja

bedeuten, dass sie für immer geht. Das wäre gewiss nicht schlecht, aber es wäre wirklich nicht fair gegenüber Mammi und Daddy. Und außerdem«, sagte sie und hielt das Fünfzigpencestück ans Licht, »hat sie dich gefunden.« Sie kippte die Münze ein bisschen und die Queen lächelte ihr zu.

Die Formulierung, für die sie sich schließlich entschied, war so lang, dass sie in ihr Zimmer gehen und alles aufschreiben musste. Sie verschloss das Blatt Papier in der Schublade, in der sie auch das Malbuch aufbewahrte, und beschloss, bis nach dem Mittagessen zu warten. Genauer gesagt: Sie wollte erst eine schöne lange Fahrt mit dem Eisbrecher machen und danach wollte sie den Text noch einmal lesen und überlegen, ob er so in Ordnung war. Nach dem Tee las sie ihn, und er war in Ordnung. Sie setzte sich auf das Bett, rieb die Stelle, die der königlichen Nase gegenüber lag, und sagte: »Ich *wünsche* mir, dass meine ältere Schwester, Melody Parker – vorausgesetzt, sie bleibt nicht allzu lange von zu Hause weg, und vorausgesetzt, es kostet sie kein Geld –, nach Amerika gehen kann.«

Sie steckte die Münze in ihre Hosentasche und dachte über die zwei verbleibenden Wünsche nach. Unten klingelte das Telefon und sie hörte, wie ihre

Mutter antwortete. Dann hörte sie, wie ihre Mutter nach Melody rief. Und Melodys Stimme klang sehr aufgeregt, dachte Harmony, obwohl sie die Worte nicht verstehen konnte.
Kurz danach hörte sie, wie ihr Name gerufen wurde.
»Was ist?«, fragte sie und lehnte sich über das Treppengeländer. Unten aus der Diele grinste die Siamkatze herauf wie ein Angorakater.
»Harm! Harm!«, rief Melody. »Du wirst es einfach nicht glauben! Das war Mammis Schwester, Tante Jessica, weißt du, die einen Amerikaner geheiratet hat – meine Patentante –, und sie hat aus Kalifornien angerufen und sie wollen, dass ich nächsten Dienstag rüberfliege und zwei Wochen bleibe, und sie bezahlen die Reise, den Flug und alles! Ist das nicht unglaublich? Man könnte gerade meinen, dass du zaubern kannst!«

Vorfahrt beachten!

Während der nächsten Tage – es war ein Wochenende – herrschte im Hause Parker eitel Sonnenschein.
Melody war begeistert von dem Gedanken an ihre Reise. Mrs. Parker freute sich, weil Melody so begeistert war. Und Mr. Parker war zufrieden, weil sich seine Frau freute.
Was Harmony betrifft, so war es für sie ein schöner Gedanke, dass diese ungewöhnlich heitere Stimmung von ihr verursacht worden war.
»Oder vielmehr«, wie sie ihren Zuhörern im Hühnerhaus sagte, »von der Nase der Queen und ihrer Zauberkraft.«
Sie nahm die Münze aus der Tasche der neuen, immer noch ziemlich rosafarbenen Jeans und begann das Spiel, den königlichen Gesichtsausdruck zu verändern.
»In der Schule«, sagte sie zum königlichen Profil,

»werde ich manchmal Nasenbär genannt.« Die Queen blickte missbilligend.
»Es ist nur ein blöder Witz, verstehst du. Ich bin nicht gerade bärenstark. Und meine Nase ist auch nicht besonders groß.« Der Gesichtsausdruck der Queen wurde etwas milder.
»Deine Nase allerdings, die ist *geradeaus und königlich, nicht römisch und nicht schnöselig*, verstehst du?« Die Queen grinste.
»Die Frage ist nur – wozu soll ich sie beim nächsten Mal benutzen?«
Auch ein paar Tage später beschäftigte sich Harmony immer noch mit dieser Frage. Melody war abgereist, neu eingekleidet und fiebrig vor Aufregung. Über die Warteliste hatte sie noch einen Platz im Flugzeug ergattert, und die Restfamilie hatte gemeinsam den Abflug des großen Jumbos vom Flughafen Heathrow beobachtet.
Auf dem Heimweg saß Harmony schweigend auf dem Rücksitz des Autos. Ihr Schweigen wurde missverstanden.
»Du wirst sie vermissen, stimmt's, Schätzchen?«, gurrte die Kropftaube.
Das löste statt einer Antwort eine schnelle Abfolge von Grimassen aus – erst das *Schon-wieder*-Gesicht,

gleich darauf das *Ich-hasse-meine-Schwester*-Gesicht und schließlich das *Meine-Mutter-macht-mich-wahnsinnig*-Gesicht.

Der Seelöwe bekam diese Vorführung im Rückspiegel mit.

»Sei nicht so albern, Harmony!«, bellte er.

Harmony duckte sich hinter den Sitz und zog das *Sei-nicht-so-albern-Harmony*-Gesicht. Sie blieb in Deckung, wechselte erst zum *Keine-Folter-dieser-Welt-bringt-mich-dazu-dir-zu-gehorchen*-Gesicht und schließlich zum *heimlichen Witz*. Dann tauchte sie mit ausdrucksloser Miene wieder auf.

»Deine jüngere Tochter«, seufzte der Seelöwe.

Am Abend wachte Harmony im Obstgarten über die grasende Anita. Rex Wuff hing an ihrer Hand. Sie machte das *Ich-konzentriere-mich*-Gesicht. Einen Wunsch hatte sie vergeudet, einen hatte sie für Melody verbraucht, also hatte ihr die Nase der Queen nur drei Wünsche erfüllt. Und nur einer davon war ein Tier. Nicht, dass sie die Sache mit der Uhr oder dem Eisbrecher bereute, nein, das war superspitze. Aber bei der ersten Unterhaltung mit Onkel Ginger, als er gesagt hatte, dass er sich ein bisschen mit Zauberei auskannte und dass er vielleicht helfen könne, da waren es wirklich nur Tiere gewesen, die sie sich gewünscht hatte. Viele Tiere, alle möglichen Arten von Haustieren.

Und nun waren nur noch zwei Wünsche übrig.

»Genau«, sagte Harmony zu Rex Wuff. »Mein Entschluss steht fest.« Und schon erfand sie ein neues Gesicht um diesen Entschluss zu bekräftigen: Augen halb zugekniffen, Lippen zusammengepresst, Kinn vorgereckt.

»Du musst nicht gekränkt sein«, sagte sie. »Niemals wird es jemanden geben, der genauso ist wie du. Aber ich werde mir etwas wünschen, wonach ich mich schon immer gesehnt habe. Ich werde mir einen jungen Hund wünschen. Und zwar nicht irgendeinen Welpen. Ich weiß ganz genau, was ich will, und die Nase der Queen wird mir dazu verhelfen.«

Sie kramte die Münze heraus und richtete das Wort an die Queen.

»Jetzt wird es schwierig«, sagte sie sehr ernsthaft, »denn wenn es soweit ist, werde ich um einen schwarzen Labrador bitten. Ich kann mir unmöglich einen kaufen, geschweige denn das Futter bezahlen und die Tierarztrechnungen. Ich habe noch nicht mal genug Geld für ein Halsband und eine Hundeleine, ich habe auch keine Ahnung, woher er denn kommen soll, und ob sie mir erlauben werden ihn zu behalten. Aber all das beunruhigt mich nicht, denn deine Nase wird das schon irgendwie in Ordnung bringen. Was mich allerdings wirklich beunruhigt, ist die Tatsache, dass die Sommerferien zu Ende gehen. Und das heißt, ich muss zurück in die Schule, und zwar genau dann, wenn für den kleinen Hund die wichtigste Phase seines Lebens beginnt, das heißt genau dann, wenn wir so viel Zeit wie nur möglich zusammen verbringen sollten.«

Die Queen sah extrem ernst aus.

»Ich wünschte, ich müsste nicht…«, begann Harmony ganz langsam.

»Ich hab's!«, rief sie laut und machte das *Eben-wird-mir-alles-klar*-Gesicht.

Die Queen brachte ein kleines Lächeln zustande.

»Ich hab's!« (Übergang zum *Sowas-von-glücklich*-Gesicht.) »Ich müsste gar nicht! Ich müsste nicht in die Schule zurück! Das könnte der sechste Wunsch sein! Und der kleine Labrador wäre der siebente! Dann kann ich bis Weihnachten mit ihm spielen und ihm Sachen beibringen!«

Abschließend setzte sie natürlich das *Mein-Entschluss-steht-fest*-Gesicht auf.

»Das mache ich«, sagte Harmony, und für einen ganz kleinen Moment sah die Queen sehr unglücklich aus.

Nachdem sich eine vollgefressene Anita zur Rückkehr ins Hühnerhaus hatte überreden lassen, sperrte Harmony sie wie immer ein für die Nacht. Die Tür hatte einen Drehknopf zum Abschließen.

Vielleicht gingen ihr die gerade beschlossenen Pläne für den sechsten und den siebten Wunsch durch den Kopf, jedenfalls drehte sie den Türverschluss nicht sorgfältig genug um, sodass die Tür nur angelehnt war. Möglicherweise rannte Anita von innen dagegen. Als sie jedenfalls weggingen, den Obstgarten hinauf, da war es nur Rex Wuff, der mit seinem Glasauge zurückblickte und bemerkte, wie die Tür sachte aufging und wie ein gefleckter Schatten heraushopste, der sich leichtfüßig zwischen den Bäumen in der Dämmerung davonmachte.

Harmony machte in dieser Nacht keinen Gebrauch von der königlichen Nase. Sie hatte den Seelöwen oft genug sagen hören, man solle eine Entscheidung erst einmal »überschlafen«. Also überschlief sie ihre Entscheidung. Beim Aufwachen war sie aber immer noch davon überzeugt, dass die Entscheidung richtig war. Nicht um alles in der Welt sah sie eine Möglichkeit, von der Schule wegzubleiben. Und wie das alles jetzt entschieden werden sollte, wo doch noch zwei Wochen Ferien vor ihr lagen, das wusste sie ebenfalls nicht. Aber sie vertraute voll und ganz auf die Zauberkraft und zweifelte nicht daran, dass alles geregelt werden könnte. Irgendwie.

Sie zog sich an und kramte das Fünfzig-Pence-Stück hervor.

Sorgfältig und ohne Hast legte sie den Finger an die magische Stelle und rieb zum sechsten Mal.

»Ich wünsche mir«, sagte Harmony, »dass ich nach den Ferien nicht in die Schule muss.«

Sie steckte die Münze zurück in die Hosentasche, nahm Rex Wuff an seinem schlaffen Bein und ging die Treppe hinunter.

Als sie entdeckt hatte, dass das Hühnerhaus offen stand und leer war, machte sich Harmony zunächst einmal keine allzu großen Sorgen. Anita konnte nicht weit weg sein, da war sie sich sicher. Als sie aber den Obstgarten abgesucht hatte, danach den Rasen und die Blumenrabatten, die Gemüsebeete und die Sträucher, ohne eine Spur von Anita zu finden, da fielen ihr mit Schrecken die Worte des

Wassermolchs ein. »Ich sah dieses Kaninchen mitten auf der Straße«, hatte er gesagt.

Sie rannte durch das vordere Tor hinaus, aber die Straße war leer, so früh am Morgen. Sie stürzte zum Eisbrecher, stopfte Rex Wuff in die Gepäckbox und raste hinaus auf den Gehweg.

Wohin sollte sie sich wenden?

In diesem Moment hörte sie ein entferntes Pfeifen und sah von weitem, wie der Kanarienvogel aus seinem Elektrokarren hüpfte.

»Oh, bitte«, rief Harmony, als sie bei ihm ankam, »haben Sie vielleicht mein Kaninchen gesehen? Es ist weiß mit schwarzen Flecken. Es ist weggelaufen.«

Der Kanarienvogel blickte in das Gesicht, das zu ihm aufschaute. Es war das *Bitte-bitte*-Gesicht, aber diesmal hatte es einen ganz natürlichen Ausdruck. Harmony war viel zu aufgeregt zum Grimassenschneiden. Der Kanarienvogel schüttelte seinen gelben Kopf.

»Sorry, mein Liebes«, zirpte er, »hier ist es nicht vorbeigekommen.«

Schnell wendete Harmony den Eisbrecher und radelte zurück, an ihrem Haustor vorbei in die andere Richtung. Es dauerte nicht lange und sie traf das Känguru, das gerade einen Packen Briefe aus seiner Tasche zog. Aber auch das Känguru schüttelte den Kopf.

Inzwischen war Harmony außer sich vor Angst. Allmählich dämmerte es ihr, dass Anita möglicherweise schon sehr lange in Freiheit war. Vielleicht

schon die ganze Nacht. Angenommen, sie wäre sogar bis zur Hauptstraße gekommen! Harmony brachte den Eisbrecher auf Höchstgeschwindigkeit. Der Lärm des morgendlichen Verkehrs drang an ihr Ohr. Voller Angst ließ sie die Augen hin und her schweifen und suchte in jedem Vorgarten, an dem sie vorbeikam, nach einem gefleckten Schatten.

Das Schild **Vorfahrt beachten!** sah sie nicht und auch das Auto sah sie nicht.

Gute und schlechte Nachrichten

Es war nun schon eine Weile her seit dem Unfall. Wäre Harmony direkt danach bei Bewusstsein gewesen, so hätte sie sicherlich die Zauberkraft der königlichen Nase für schwarze Magie gehalten, für das Werk teuflischer Mächte.

Anita war weg, der Eisbrecher war ein verbogenes Wrack, sie selbst war wie eine verkrumpelte Puppe in den Rinnstein geschleudert worden, und an ihrem gebrochenen Handgelenk hing die zerschmetterte Uhr. Abgesehen vom Handgelenk hatte man sich im Krankenhaus noch mit einem gebrochenen Oberschenkel, einigen kaputten Rippen und einem lädierten Schlüsselbein zu befassen. Nicht zu reden von zahlreichen Schnittwunden und Quetschungen.

Zunächst war ihr alles wie ein endloser Traum mit fremden Stimmen, ungewohnten Gerüchen und Schmerzen vorgekommen. Manchmal war der Traum nicht so schlimm, eher ein nebliges Durcheinander von gefleckten Kaninchen und glänzend schwarzen Hundebabys. Manchmal war es ein Alptraum. Immer derselbe. Ein gigantisches Fünfzigpencestück kam eine Straße herunter auf sie zu gerollt, ein monströses Rad von der Größe eines Hauses. Es kam drohend näher, und jedes Mal, wenn es von einer seiner sieben riesigen Kanten auf die nächste weiterrollte, machte es ein fürchterliches klickendes Geräusch. Sie konnte sich nicht bewegen und sie wusste, dass die Kante, welche sie abbekommen würde, diejenige sein würde, die auf die riesige Nase der riesigen Königin hinwies. Und jedes Mal schrie sie vor Entsetzen.

Am ersten Nachmittag, an dem Harmony in die Wirklichkeit zurückgekehrt war, an dem sie gänzlich verstanden hatte, was passiert war und wo sie sich befand, an dem sie sich mit all den Verbänden und Pflastern vertraut gemacht hatte und auch mit der seltsamen Vorrichtung, die ihr Bein in der Schwebe hielt – an diesem Nachmittag saß ihre ganze Familie um ihr Bett.

Melody hatte ihre Ferien um ein paar Tage abgekürzt. Mr. Parker hatte sich Urlaub genommen. Mrs. Parker hatte die ganze Zeit am Bett ihrer jüngeren Tochter gesessen.

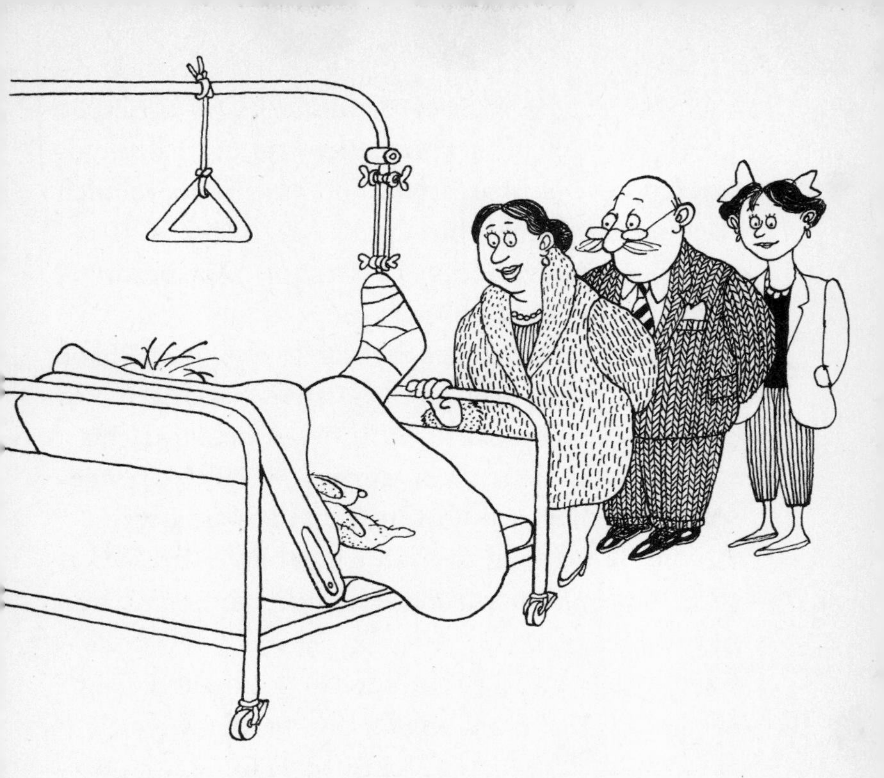

Harmony sah sie alle nacheinander an und zum ersten Mal erblickte sie keine eitle Siamkatze, keinen aufgeblasenen Seelöwen und keine nervöse Kropftaube. Stattdessen sah sie drei besorgte Menschen, die sie liebevoll anschauten. Sie brach in Tränen aus.

Auf einmal schien alles wieder gut zu sein.

»Mach dir keine Sorgen, Harm. Mit deinem Kaninchen ist alles in bester Ordnung. Der komische kleine Milchmann mit der Piepsstimme hat es gefunden, im Nachbargarten, und ich kümmere mich darum und es geht ihm gut.«

»Mach dir keine Sorgen, Harmony. Wir besorgen dir ein neues Rad und eine neue Uhr.«

»Mach dir keine Sorgen, Schätzchen. Diesmal habe ich deine Jeans nicht weggeworfen, sondern nur gewaschen. Und ich habe in den Taschen nachgeschaut. Und dein altes wertvolles Fünfzigpencestück ist sicher verwahrt in deinem Sparschwein.«

Als die Besuchszeit zu Ende ging, blieb Mrs. Parker noch einen Moment, nachdem die anderen schon vorausgegangen waren.

»Ruhe dich schön aus und schlaf gut heute Nacht«, sagte sie. »Alles wird wieder gut werden.«

»Ein Glück. Ich hatte furchtbare Träume.«

»Ich weiß. Du hast laut geschrien.«

»Was habe ich denn geschrien?«

»Es klang so ähnlich wie: ›Die Queen weiß Bescheid‹, aber ich habe keine Ahnung, über was die Queen Bescheid wissen soll, und du hast vermutlich auch keine Ahnung.«

»Mammi.«

»Ja, mein Schatz?«

»Was ist mit der Schule?«
»Oh, ich fürchte, du wirst in der nächsten Zeit nicht in der Lage sein, zur Schule zu gehen.«
Die Queen weiß Bescheid, dachte Harmony, und sie hat die andere Hälfte des Wunsches nicht erfüllt. Wenn ich sie jetzt aus dem Sparschwein holen könnte – ich wette, sie würde übers ganze Gesicht grinsen bei dem Gedanken an einen Labradorwelpen, der hier im Krankenzimmer herumspringt. Der siebte Wunsch muss noch eine Weile warten.
Rex Wuff schien sich im Krankenhaus recht wohl zu fühlen. Die Gepäckbox war bei dem Unfall zerbrochen, aber er selber war ziemlich heil gelieben. Mrs. Parker hatte ihn mitgebracht und er hatte bereits auf dem Nachtschränkchen gesessen, als Harmony zum ersten Mal wieder zu sich gekommen war. Nun lag er natürlich neben ihr auf dem Kopfkissen und die Oberschwester (übrigens ein Drahthaar-Foxterrier, wie Harmony sofort erkannt hatte) war so freundlich gewesen, über dem Bett neben der Karte mit der Aufschrift »Harmony Parker« noch eine weitere Karte mit der Aufschrift »R. Wuff« zu befestigen. Zu den Essenszeiten bekam er jedes Mal ein Plätzchen. Es blieb niemals liegen.

Für jemanden, der ganz gerne mit sich alleine ist, war es zunächst etwas beunruhigend, von so vielen Leuten umgeben zu sein – Patienten, Schwestern und Ärzten –, denen man nicht entrinnen konnte. Harmony kam darüber hinweg mit Hilfe ihrer üblichen Methode, d. h. sie verwandelte Menschen in Tiere.

Neben der Oberschwester gab es noch eine Schwester mit Glotzaugen und einer ziemlich verquetschten Nase. (Ein Mops.) Ferner gab es eine Nachtschwester mit sehr großen Brillengläsern, die sich leise durch die abgedunkelte Station bewegte, wobei ihre Schwesterntracht jedes Mal die Farbe zu wechseln schien, wenn sie in kleine Lichtkreise eintauchte. (Ein Chamäleon, logisch.) Und dann gab es zwei Lernschwestern, die mit hoher Geschwindigkeit umherflitzten und non-stop mit den Patienten und miteinander schwatzten. (Wellensittiche.)

Zwei Doktoren gab es, die sie häufig sah. Einer kam ihr ziemlich bedeutend vor, denn der Drahthaar-Terrier und der Mops eilten rasch an seine Seite, sooft er nur auftauchte. Er machte sich allerdings nicht wichtig, er war ruhig und klein und rotblond, es musste sich also um ein Frettchen han-

deln. Der andere war jünger, hatte rote Haare und eine laute Stimme. Er war ein Brüllaffe.
Und natürlich gab es links und rechts von Harmony und überall auf der Kinderstation eine Unzahl von kleinen Tieren, die ihre Flügel, ihre Pfoten oder ihren Schnabel verletzt hatten, entweder beim Sturz von einem Baum, beim Hineinfallen in ein Loch oder beim unvorsichtigen Überqueren einer Straße. Harmony füllte ein ganzes Skizzenbuch mit ihren speziellen Zeichnungen, während sie im Bett lag und auf dem Weg der Besserung war.
Sie hatte Fortschritte gemacht, vom Rollstuhl zu den Krücken, von den Krücken zu einem Stock. Und schließlich kam der Tag, an dem das Frettchen sagte, dass sie nach Hause durfte. Und was für ein Tag war das!
Zum Mittagessen gab es Fischstäbchen und gebackene Bohnen und Pommes frites mit Tomatensauce. Die Kropftaube war ganz besorgt um Harmony.
Die Siamkatze schnurrte vernehmlich, als sie Harmony demonstrierte, wie munter und glattgekämmt und fröhlich Anita war.
Und als der Seelöwe abends aus der Stadt zurückge-

kehrt war, wo er seine Tricks vorgeführt hatte, half er Harmony bis zur Garage. Dort stand der Eisbrecher. Der dunkelblaue Lack glänzte, die Chromteile blinkten und die Weißwandreifen strahlten makellos.

»Es sieht aus, als sei es nicht ein einziges Mal benutzt worden«, sagte Harmony zögernd.

Der Seelöwe bellte vergnügt.

»So ist es«, sagte er. »Das kommt davon, wenn man eine Berühmtheit ist. Als der Geschäftsführer des Fahrradladens erfuhr, dass du in einen Unfall verwickelt warst und dass der berühmte zehntausendste Eisbrecher zertrümmert wurde, da kam er auf den Gedanken, noch einmal ordentlich die Werbetrommel zu rühren. Er überredete die Herstellerfirma, dir einen neuen Eisbrecher zu schenken. Sie werden dieser Tage nochmal aufkreuzen und neue Fotos von dir machen. Du dürftest das einzige Mädchen der Welt sein, das jemals zwei nagelneue Fahrräder geschenkt bekam.«

»Ich dürfte das einzige Mädchen der Welt sein, das jemals ein magisches Fünfzigpencestück aus dem Jahre 73 geschenkt bekam«, sagte Harmony spätabends zu Rex Wuff. Sie lagen im gewohnten Bett im vertrauten Zimmer und beobachteten den

Mond, der zwischen den schwarzen Zweigen des Apfelbaums emporstieg. »Und es ist immer noch nicht Schluss mit der Zauberkraft. Was aber noch viel wichtiger ist – alle sind dermaßen nett zu mir, sogar die blöde Tussi, dass ich fast glaube, sie hätten auch nichts dagegen, wenn ich mir einen jungen Hund zulege.«

Sobald sie heimgekommen war, hatte sie die Münze noch einmal aus dem Bauch des Sparschweins in ihre Hosentasche überführt. Und nun streckte sie die Hand aus dem Bett und nahm sie heraus. Sie hielt das Gesicht der Queen ins Mondlicht. Sie erinnerte sich, dass die Queen in der Nacht vor ihrem Unfall sehr traurig ausgesehen hatte. Nun trug ihr Gesicht einen eigenartig geheimnistuerischen Ausdruck, nicht richtig verschmitzt, sondern eher... Harmony suchte nach dem richtigen Wort... sondern eher... *wissend*. Das war's – wissend.

»Ich frage mich«, sagte Harmony zu der Queen, »ob du auch schon weißt, was mein siebter Wunsch sein wird. Na ja, egal, wenn du es nicht weißt, dann erfährst du es morgen.« Und damit steckte sie die Münze wieder weg, rückte Rex Wuff zurecht und schlief ein.

Als sie am nächsten Morgen aufwachte – es war ein

nebliger, kühler Herbsttag –, wusste sie zunächst nicht, wo sie war, und im ersten Augenblick schaute sie umher und suchte all die kleinen Tiere in der Kinderstation. Das führte natürlich zum *Jetzt-blicke-ich-wieder-durch*-Gesicht und direkt danach zum *Sowas-von-glücklich*.
Sie setzte sich auf und schaute aus dem Fenster. Weiter unten auf der Straße konnte sie das Känguru von Haus zu Haus springen sehen. Ob es wohl zu uns kommen wird? dachte sie. Es macht eigentlich keinen Unterschied, ob es zu uns kommt oder nicht, denn ich bin wieder zu Hause und ich fühle mich schon viel, viel besser und heute werde ich meinen siebten Wunsch einlösen und ich werde die stolze Besitzerin eines wunderschönen Labradorwelpen mit schwarz glänzendem Fell sein. Was soll's, ob das alte Känguru was für uns in der Tasche hat oder nicht. Es ist nicht wichtig.
Aber das Känguru hatte etwas, und es war wichtig. Als Harmony mit Hilfe ihres Stocks vorsichtig zum Frühstück heruntergekommen war, sah sie sofort, dass irgendetwas oberfaul war. Der Seelöwe saß alleine am Tisch – es war Samstag, deswegen musste er nicht zum Balancieren in die Stadt – und hielt einen Brief in der Hand.

»Was ist das?«
»Es geht um Ginger«, sagte der Seelöwe und fuhr sich mit der Flosse über den kahlen Schädel.
»Um Onkel Ginger?«, sagte Harmony mit dünner Stimme. »Was ist mit ihm? Warum hat er nicht selber geschrieben?«
»Er ist krank.«
»Sehr krank?«
»Sehr, sehr krank.«
In den letzten Wochen hatten sich Harmonys Ansichten über ihre Familie verändert. Vielleicht hatte es etwas mit dem Unfall zu tun, vielleicht auch mit der Nase der Queen. Vielleicht war sie einfach nur älter geworden. Aber jetzt erst war ihr zum Beispiel klar geworden, dass ihr Vater keineswegs, wie sie immer gedacht hatte, ein ziemlich gefühlloser Mensch war, sondern ein Mensch, der seine Gefühle nicht so leicht zeigen konnte.
Sie wusste jetzt, welche Gefühle ihr Vater für sie hegte. Und sie konnte deutlich sehen, welche Gefühle er für seinen Bruder hegte, obwohl sie so unterschiedliche Charaktere waren. Sie legte einen Arm um seine Schulter.
»Daddy?«
»Mm.«

»Muss... muss Onkel Ginger sterben?«
Mr. Parker schwieg einige Minuten. Mit der einen Hand klopfte er auf den mit Maschine geschriebenen Brief, der vor ihm lag. Mit der anderen hielt er Harmonys Hand.
»Dieser Brief«, sagte er schließlich, »kommt von dem Doktor, der ihn im Krankenhaus von Bengalen behandelt. Onkel Ginger hat etwas Schreckliches. Man nennt es Schwarzwasserfieber. Nach dem, was hier drin steht, besteht nicht viel Hoffnung.«
»Wie erfahren wir, ob...?«
»Sie werden uns ein Telegramm schicken, sagen sie.«
O Känguru, dachte Harmony, wie dumm und wie froh war ich, als ich dich heute Morgen beobachtete und dachte: Egal, ob du nun zu uns kommst oder nicht – was soll's. Und jetzt...
»Gibt's denn wirklich überhaupt keine Chance, dass er wieder gesund wird, Daddy?«
Der Seelöwe schüttelte langsam den Kopf. Er nahm den Brief und las vor: »... ›Ich halte es für angezeigt Ihnen mitzuteilen, dass Ihr Bruder nach meiner Überzeugung nicht mehr lange leben wird. Seine bemerkenswerte körperliche Verfassung hat

bislang verhindert, dass dieser schlimmste Fall eingetreten ist, aber es muss ehrlicherweise gesagt werden, dass er nur noch durch ein Wunder gerettet werden kann.«

Der Seelöwe stand auf und ging mit schweren Schritten aus dem Zimmer, um die anderen zu informieren.

Harmonys Herz schlug wie verrückt. »Nur noch durch ein Wunder!« Sie schnappte den Briefumschlag und schaute auf die Briefmarke. Eine Woche war vergangen. Hoffentlich war es noch nicht zu spät!

Sie griff in die Tasche.

Das Weihnachtsgeschenk

Harmony hatte es so wahnsinnig eilig mit der Zaubermünze, dass sie keinen Moment überlegte, wie sie den Wunsch formulieren sollte. Und was den Labradorwelpen betraf, so dachte sie nicht einmal an ihn. Sie riss einfach die Münze aus der Hosentasche, schaute nach der richtigen Stelle, rieb und sagte aus vollem Herzen:

»Ich wünsche mir, dass Onkel Ginger wieder gesund wird und heimkommt und in unserer Nähe wohnt und nie wieder nach Indien geht.«

Sie schaute rasch nach dem Gesicht der Queen, und die Queen lächelte – kein Zweifel. Und irgendwie fühlte sich das Fünfzigpencestück in ihrer Hand seltsamerweise ganz anders an. Später konnte sie noch nicht einmal sagen, warum. Es sah genauso aus wie vorher; da waren nach wie vor die neun verschränkten Hände rund um die Wertangabe und die Jahreszahl; da stand nach wie vor D. G. REG. F. D. und ELISABETH II; da war nach wie vor das vertraute Porträt, von dem sie jede Falte im Kleid, jede Haarsträhne, jede Verzierung der Krone genauestens kannte, ebenso natürlich die vielen Gesichtsausdrücke, die über das Antlitz der Queen huschten. Aber die Münze fühlte sich tatsächlich anders an. Leichter, fast schon biegsam, als sei alle Kraft aus ihr entwichen.

Was ja eigentlich der Fall war, dachte Harmony. Sieben Wünsche, das war's. Aber wird dieser Letzte schnell genug erfüllt werden? Wie lange braucht ein Wunsch bis nach Indien? Automatisch blickte sie auf ihre Uhr, auf ihre neue Uhr, die genau wie die andere aussah, mit gesprenkeltem Schlangenlederarmband und allem Drum und Dran. Sie dachte zurück an die anderen Wünsche. Alle waren sofort erfüllt worden oder in sehr kurzer Zeit nach Inanspruchnahme der königlichen Nase. Was passierte jetzt? Oh, warum war Indien nur so weit weg?

Nach dem Frühstück klingelte das Telefon. Trotz seines Umfangs war der Seelöwe als Erster am Apparat. Harmony bemerkte, dass seine Stimme ein wenig schwankte, als er die Nummer nannte. Es war jedoch nur eine von Melodys Freundinnen.

»Wir könnten es auch telefonisch erfahren,

stimmt's, Daddy?«, fragte Harmony. »Man kann doch von Indien hierher telefonieren, oder?«

»O ja. Wir könnten per Telefon benachrichtigt werden oder per Telegramm. Oder wir müssen warten, bis ein Brief kommt. Ich glaube, wir sollten auf den Brief warten. Schlechte Nachrichten reisen am schnellsten, heißt es.«

»Und keine Nachricht ist eine gute Nachricht«, sagte ihre Mutter.

»Und Geduld ist eine Tugend«, sagte Melody und alle brachten ein kleines Lächeln zu Stande.

Tatsächlich hörten sie eine Woche lang überhaupt nichts. Jedes Mal, wenn das Telefon klingelte, wurde der Hörer abgenommen, als sei er eine giftige Schlange. Aber es war jedes Mal harmlos. Jeden Morgen wartete Harmony, die wie immer als Erste auf war, gespannt auf das Känguru. Teils hoffte sie, teils fürchtete sie, dass er bei ihnen Halt machte. Wenn er es tat, schaute sie rasch auf die Briefmarken. Abgesehen von einer, die ihr einen Moment lang Angst einjagte – es war eine amerikanische, auf einem Brief von Tante Jessica –, waren es aber nur englische Marken. Sie zeigten die Queen mit einem völlig ausdruckslosen Gesicht.

Es dauerte bis zum nächsten Sonntag, ehe die Tugend der Geduld belohnt wurde. Harmony hatte ausnahmsweise verschlafen, und als sie erwachte, sah sie den Seelöwen in ihr Zimmer kommen. Er trug einen Morgenrock und hatte ein breites Lächeln in seinem großen runden Gesicht. In der Hand hielt er nicht einen, sondern zwei Briefe.

»Es geschehen doch noch Wunder«, sagte er.

Später dann, nach dem Frühstück, nachdem sie alle die Briefe gelesen und noch einmal gelesen hatten – einer war von dem Krankenhausarzt in Bengalen und der andere, der beigelegt war, stammte von Onkel Ginger selber, unglaublich –, später also nahm Harmony die beiden Briefe mit hinunter ins Hühnerhaus, setzte sich auf die Teekiste und las sie beide noch einmal vor, für Rex Wuff und Anita.

Der Brief des Doktors – verfasst am vergangenen Sonntag, also eine Woche nach dem ersten Brief – war vorsichtig formuliert. Der Doktor zeigte sich überrascht und äußerte sich zuversichtlich über die Chance, dass Mr. Henry Parker wieder gesund würde. Mr. Henry Parker hatte, wie es der Schreiber ausdrückte, in den frühen Morgenstunden dieses Sonntags »die Kurve gekriegt«. Der Brief war voller »wenn« und »aber«, und er enthielt viele lange Wörter, deren Sinn Harmony nicht verstand. Aber eines brachte er klar zum Ausdruck: Onkel Ginger lebte und er würde weiterleben! Der beigefügte Brief war der Beweis, obwohl er nur aus ein paar mühselig hingekritzelten Zeilen bestand. *Ich hab's nochmal geschafft – gerade noch!* hieß es da. *Bin sehr müde. Verzeiht das Gekritzel. Grüße an euch alle. Ginger. P. S. Komisch. Das Fieber ist wie durch ein Wunder verschwunden.*

»Ich glaube, es war ein Wunder«, hatte Mrs. Parker gesagt. »Niemand hat jemals damit gerechnet, dieses Fieber zu überstehen.«

Und Mr. Parker hatte eine Bemerkung gemacht über den seltsamen Zufall, dass die Genesung seines Bruders in Anbetracht des Zeitunterschieds zwischen den beiden Ländern genau in dem Moment eingesetzt haben musste, als der erste Brief angekommen war.

»Es muss Harmony gewesen sein mit ihren Tricks«, sagte Melody und lachte.

»Was meinst du denn damit?«

»Na ja, sie hat mich dazu gebracht mir etwas zu wünschen, versteht ihr, und ich sagte, ich wünschte, ich könnte nach Amerika – und ihr wisst ja, was passiert ist.«

»Stellt euch das mal vor!«, sagte der Seelöwe mit einem Grinsen. »Wir haben einen Zauberer in der Familie! Was wird dein nächster Trick sein, Harmony? Wirst du noch ein Kaninchen herbeizaubern – aus meinem Hut vielleicht?« Und sie hatten alle gelacht.

»Sie würden mir niemals glauben, wenn ich es ihnen erzählen würde«, sagte Harmony, als sie die Briefe zusammenfaltete und Anita zum Grasen hinausließ. »Sogar wenn ich ihnen erzählen würde, dass Onkel Ginger nach Hause kommt und in der Nähe wohnt und nie mehr nach Indien geht – sie würden bloß sagen: ›Na ja, so was hat sich ja jeder denken können.‹ Aber alles das wird passieren, Rex Wuff, denn es gehört alles zum siebten Wunsch.«

Zwei Monate vergingen. Zwei Monate, in denen viele Briefe zwischen Wimbledon und Bengalen hin- und herflogen. Und dann kam der Tag, an dem sie wieder alle in Heathrow waren und beobachteten, wie der große Airbus von Air India zum Stillstand kam. Aus ihm heraus stieg eine Menge von ganz normalen Männern und Frauen und Kindern sowie ein unverwechselbarer Silber-Grizzly. Es war deutlich mehr Silber zu sehen als im Sommer, auch sah man mehr Falten in seinem Gesicht. Und er war dünn. Aber das alte Lächeln war immer noch da, als er sie alle begrüßte, und für Harmony gab es wieder ein ganz kleines geheimes Zwinkern. Und als sie alle gemütlich zu Hause saßen und Tee tranken (»Er wird in Indien angebaut, wisst ihr«, sagte der Silberne grinsend), stellte sich heraus, dass alles so ablaufen würde, wie es die Nase der Queen verfügt hatte.

»Alles wieder in Ordnung, Ginger, mein Alter?«

»Noch nicht mal zur Hälfte! Du hättest mich mal vor ein paar Monaten sehen sollen.«

»Wie lange haben sie dich fortgelassen, Ginger, mein Lieber?«

»Für immer, sozusagen. Sie haben mich in Frührente geschickt. Sie waren recht großzügig mit der Rente und so weiter.«

»Und was wirst du machen, Onkel Ginger?«

»Erst mal wieder fit werden, lautet die Antwort, Melody. Genau wie dieser andere Ex-Patient da. Du siehst viel besser aus, als ich erwartet hatte, Harmony.«

»Oh, mir geht's wieder ganz gut.«

»Aber zur Schule gehst du noch nicht?«

»Oh, weißt du, so gut geht's mir auch wieder

nicht. Und es dauert sowieso nicht mehr lang bis zu den nächsten Ferien.«

»Ja, allerdings«, sagte der Silberne. »Verzeihung, Melody, ich habe deine Frage nicht richtig beantwortet. Ich glaube, am liebsten würde ich mir ein kleines Haus auf dem Land suchen – nicht allzu weit weg von hier, hoffe ich –, mit Rosen rund um die Eingangstür und mit einem schönen Stück Garten, der vielleicht an einen Bach grenzt. Da würde ich mein eigenes Obst und Gemüse anpflanzen, ein paar Hühner halten und vielleicht eine Ziege. Und natürlich werde ich wieder einen Job finden müssen, wenn ich wieder fit bin, vielleicht einen Halbtagsjob, irgendwas an der frischen Luft, ich habe zwei gesunde Hände und bin nicht ungeschickt.«

»Wirst du einen Hund haben?«, sagte Harmony.

»Auf jeden Fall«, sagte Onkel Ginger. »Ihr solltet hier auch einen Hund haben, wisst ihr«, sagte er in die Runde.

»Ich mag Hunde wirklich nicht.«

»Wie kannst du das wissen, Melody, du hast doch noch nie einen gehabt.«

»Hunde bringen alles durcheinander, mein lieber Ginger.«

»Nicht, wenn sie richtig erzogen sind. Es wäre auch eine gute Gesellschaft, wenn du mal alleine bist. Die beste Versicherung gegen Einbrecher, verstehst du.«

»Es wäre nicht fair gegenüber so einem Tier, stimmt's, mein Alter? Das ist was anderes auf dem Land, aber hier in Wimbledon...«

»Ihr habt doch einen ziemlich großen Garten. Und der Park ist in der Nähe.«

»Hm. Na ja. Ich weiß nicht so recht. Vielleicht sollten wir das Thema beenden, falls du nichts dagegen hast.«

»Ganz wie du willst«, sagte Onkel Ginger.

Es war zu dunkel an diesem Abend, um dem Silbernen Anita vorzuführen, aber am nächsten Vormittag wurde sie gebührend bewundert, ebenso der Eisbrecher und die Ersatz-Armbanduhr.

Wie damals nahm Harmony auf der Hühnerstange Platz und wie damals setzte sich der Silberne auf die Teekiste. Gemeinsam sahen sie Anita beim Frühstücken zu.

»Du hast also ein Tier?«

»Ja.«

»Du hast gar nichts gesagt gestern, die ganze Zeit, als wir über das Thema Hund sprachen.«

»Ja.«
»Das wäre eigentlich der letzte Wunsch gewesen, stimmt's?«
»Ja.«
»Es ist wahrscheinlich ein bisschen billig, wenn ich jetzt einfach ›Danke‹ sage.«
»Bedank dich nicht bei mir, Onkel Ginger. Du solltest dich bei der Nase der Queen bedanken.«
»Hast du die Münze noch?«
»O ja, klar«, sagte Harmony. Sie kramte die Münze heraus und gab sie rüber.
Onkel Ginger hielt sie ins Licht, das durch den Maschendraht des kleinen Fensters fiel. Geistesabwesend rieb er an der Stelle, die der Nase der Queen gegenüberlag. Er sagte nichts. Nach einer Weile gab er die Münze zurück und sagte: »Seltsam, was manchmal so passiert. Stimmt's?«
»Ja.«
»Zufall, meinst du nicht auch? Oder Zauberei?«
»Zauberei.«
»Du glaubst jetzt auch daran?«
»O ja!«
»Bleib so, wie du bist.«
Er stand auf und bückte sich zur niedrigen Tür hinaus.

»Los, komm. Wir gehen mal bei den Immobilienmaklern hier in der Gegend vorbei. Die Sorte von Häuschen, die mir vorschwebt, wird nicht so einfach zu finden sein.«
Es dauerte tatsächlich einen ganzen Monat und erforderte jede Menge von Besichtigungen. Entweder waren die Häuser zu groß oder zu klein oder zu schick oder zu schäbig.
Als sie dann aber doch das Richtige gefunden hatten, war es für Harmony kein bisschen verwunderlich, dass das Haus nicht allzu weit weg von ihrem lag und dass am hinteren Ende des recht großen Gartens ein Bach entlanglief. Um die Eingangstür rankten sich natürlich Kletterrosen.
Kurz vor Weihnachten hatte Onkel Ginger den Umzug hinter sich gebracht und war so perfekt eingerichtet, dass er sie alle zum Weihnachtsessen einlud. Nach dem Essen – es gehörte zur Familientradition der Parkers, so lange zu warten, beschenkten sie sich gegenseitig, und Melody machte Fotos mit der wunderbaren Kamera, die sie gerade von Onkel Ginger bekommen hatte.
»Ist das nicht ein toller Apparat!«, sagte sie zu Harmony. »Was hat Onkel Ginger dir denn geschenkt?«

»Oh«, sagte der Silber-Grizzly, »fast hätte ich es vergessen.« Er ging aus dem Zimmer und ließ die Tür offen.

Harmony blickte zum Seelöwen und zur Kropftaube und zur Siamkatze und sie hatten alle denselben Ausdruck im Gesicht – geheimnistuerisch, erwartungsvoll, mit einem leichten Lächeln.

Und auf einmal war da ein zappeliges, tölpelhaftes, patschiges, schlurfendes Geräusch und zur Tür herein kamen zwei dicke, samtene, kohlrabenschwarze Geschöpfe, gefolgt von dem grinsenden Grizzly.

»Oh, Onkel Ginger, was für eine Überraschung!«, rief Melody mit einer sehr künstlichen Stimme. »Du hast ja *zwei* kleine Labradorhündchen!«

»Nur einer gehört mir«, sagte Onkel Ginger.

Harmony schluckte.

»Und wem gehört der andere?«, sagte sie.

»Dir.«

Vielleicht gibt's jemanden

Es gab so viel zu tun – Harmony musste sich um den kleinen Hund kümmern (eine der ersten Lektionen bestand darin ihm beizubringen, dass er weder Rex Wuff noch Anita beißen durfte), sie musste zum rosenumrankten Häuschen fahren und Onkel Ginger und dessen Hund besuchen –, dass die Weihnachtsferien vorübergingen und Harmony schon längst wieder die Schule besuchte, bevor ihr die Fünfzigpencemünze überhaupt wieder in den Sinn kam.

Die ganze Zeit hatte sie im Sparschwein gelegen und eines Sonntagmorgens nahm Harmony sie heraus. Lange betrachtete sie die Nase, die so viel in ihrem Leben verändert hatte.

»Was mache ich bloß mit dir?«, sagte sie zur Queen.

Onkel Ginger war zum Mittagessen angesagt und sie wollte ihn um Rat fragen.

Am Nachmittag gingen die beiden (den anderen war es zu kalt) mit den kleinen Hunden in den

Park. Als sie spazieren gingen und zusahen, wie die Hunde herumrannten und spielten, holte Harmony die Zaubermünze aus ihrer Tasche.

»Was soll ich damit machen, Onkel Ginger?«, fragte sie. »Soll ich sie für immer behalten? Wie hieß es noch: *Gib mich nicht aus, gib mich nicht weg, und lass das Wechseln (hat keinen Zweck)*.«

»Ach, ich glaube, das hat nur gegolten, solange die Münze nützlich für dich war«, sagte der Silberne. »Schließlich hast du ja alle sieben Wünsche gehabt und jetzt ist es egal, oder? Du könntest sie auch einfach ausgeben. Du kriegst immer noch was im Wert von fünfzig Pence dafür.«

»Das mache ich bestimmt nicht.«

Sie gingen weiter.

»Onkel Ginger?«

»Ja?«

»Glaubst du, dass die Nase der Queen... nützlich sein könnte... für irgendein anderes Mädchen oder einen Jungen... ich meine, wenn sie es hätten?«

Der Silber-Grizzly hielt inne, drehte sich um und sah sie an.

»Könnte sein«, sagte er langsam. »Schließlich«, fügte er mit einem Lächeln hinzu, »gibt es ja doch noch Wunder.«

Harmony warf einen letzten Blick auf das Gesicht der Queen und besonders auf die silberne Spitze dieser Nase. Dann holte sie aus und mit all ihrer Kraft warf sie das Geldstück weit, weit weg auf den winterlich verschneiten Rasen des Parks von Wimbledon.

»Vielleicht gibt's jemanden, der Glück hat«, sagte sie und sie gingen weiter.

Vielleicht gibt's jemanden.

Haltet die Augen auf. Achtet auf ein Fünfzigpencestück aus dem Jahre 1973.

Ihr wisst ja jetzt Bescheid.

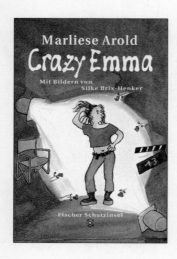

Stefan vor!

Stefan ist das absolute Ass in seiner Fußballmannschaft. Er spielt so gut, dass sein Club aufsteigt. Doch der Erfolg lässt Stefan langsam den Boden unter den Füßen verlieren. Sein Egoismus ist nicht mehr zu bremsen. Schließlich sieht sich der Trainer gezwungen, ihn aus dem Spiel zu nehmen. Stefan ist wütend und wechselt den Verein. Aber auch im neuen Club wird Mannschaftsgeist erwartet, was Stefan mühsam lernen muss.

Ulli Schubert
Stefan steigt auf
Band 80177

Fischer Schatzinsel

fi 6077 / 1

Klein, aber oho!

An einem regnerischen Nachmittag, als Herr Blom an seiner Schreibmaschine sitzt und Johannes und Nella Della, seine Kinder, sich langweilen, taucht plötzlich Wiplala durch ein Loch in der Wand auf und sorgt ab dann für Aufregung und Verwirrung. Wiplala kann nämlich »tinkeln«, zaubern, nur eben nicht so richtig. Und damit nehmen die Verwicklungen ihren Lauf.

Annie M. G. Schmidt
Wiplala
Band 80020

Fischer Schatzinsel

fi 6023 / 4

Cornelia Funke

Seit Tom das Mittelmäßig Unheimliche Gespenst, das MUG, im Keller getroffen hat, sind beide gute Freunde. Und zusammen mit Frau Hedwig Kümmelsaft erfolgreiche Gespensterjäger. Bei ihren lebensgefährlichen Abenteuern treffen die drei auf einen Grauenhaft Unbesiegbaren Blitzgeist oder auf die besonders heimtückische Gespensterart SPUMIDUV, ein SPUk MIt DUnkler Vergangenheit ...

Band 80174

Band 80221

Band 80222

Fischer Schatzinsel

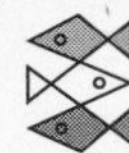

fi 6079 / 1